Altazor

———

Temblor de cielo

Letras Hispánicas

Vicente Huidobro

Altazor
Temblor de cielo

Edición de René de Costa

DECIMOCTAVA EDICIÓN

CÁTEDRA

LETRAS HISPÁNICAS

1.ª edición, 1981
18.ª edición, 2013

Ilustración de cubierta: Alicia Cid

© Herederos de Vicente Huidobro
© Ediciones Cátedra (Grupo Anaya, S. A.), 1981, 2013
Juan Ignacio Luca de Tena, 15. 28027 Madrid
Depósito legal: M. 43.813-2011
I.S.B.N.: 978-84-376-0279-0
Printed in Spain

Índice

Introducción*

* Quisiera dejar constancia de mi agradecimiento a Juan Larrea y a la familia Huidobro por el material inédito referente a *Altazor* y *Temblor de cielo,* aquí citado y reproducido.

Retrato del autor por Pablo Picasso; de la primera edición de *Altazor*.

Habent sua fata libelli

Hacia 1930, en el momento ascendente de su fama, y todavía viviendo el éxito de su novela fílmica *Mío Cid Campeador* (1929), Huidobro dio el toque final a dos poemas largos, uno en verso y el otro en prosa: *Altazor y Temblor de cielo*. Cuando en enero de 1931 llegó a Madrid para buscar editor, sus antiguos amigos de la gesta vanguardista aclamaron su retorno; *El Heraldo de Madrid* tituló así una entrevista con él: «Vicente Huidobro: el que trajo las gallinas» (6 de enero de 1931). Tras semejante acogida, no sorprende que Plutarco y C.I.A.P., dos de las editoriales más dinámicas del país, contrataran los inéditos de Huidobro y procedieran a su inmediata impresión[1]. Las condiciones en España se presentaban óptimas para que el chileno repitiera el triunfo de 1918, cuando trajo de París la buena nueva de la primera vanguardia. Pero el fenómeno no se repitió, y los dos libros mencionados parecen haber sido desatendi-

---

[1] Una factura de Editorial Plutarco (fechada el 17 de enero de 1931) muestra que Huidobro recibió entonces un adelanto de 400 pesetas «por importe de su original *Temblor de cielo,* que esta Editorial publicará en su Colección de Autores Contemporáneos»; el 13 de mayo del mismo año C.I.A.P. (Compañía Ibero-Americana de Publicaciones) le escribió a París para comunicar «que su libro *Altazor* está terminado y será puesto a la venta» (documentos en el archivo de la familia Huidobro). En julio de 1931 ambos volúmenes habían salido y llegado a Chile, donde fueron reseñados por Alone (Hernán Díaz Arrieta) en *La Nación,* el 23 de julio de 1931.

11

dos por la crítica española del momento[2]. Sólo con el paso de los años se ha ido manifestando el interés, especialmente por *Altazor*. Y de tal manera que hoy día, medio siglo después de su aparición, se coincide, sin discusión, en que ésta es su mejor obra, su obra maestra. Tan es así que, probablemente, la mayoría de los lectores identificará a Huidobro como «el poeta de *Altazor*».

El poema, como su autor, ha suscitado diversas y conflictivas interpretaciones, algunas ya fosilizadas: para algunos lectores es una intensa obra metafísica; para otros, un ingenioso juego de palabras. Mientras para ciertos críticos es la culminación del Creacionismo, para otros no hace más que exponer las fallas del mismo. Para todos, sin embargo, es un texto tan admirable como desconcertante. Tal es su encanto y el desafío que propone al lector.

El reto, y lo que dificulta la lectura de la obra, es algo intrínseco al género, el problema de la unidad de lo que Poe denominó, antes que nadie, «the long poem». En nuestro tiempo, los poemas extensos no son épicos, sino líricos; por eso, carecen de la dosis necesaria de pegamento narrativo para darles cohesión. *Altazor* no es una excepción. Huidobro trató de remediar el problema echando mano de ciertos recursos externos de ordenación: su presentación en siete cantos numerados que abarcan una trayectoria que va desde el orden al evidente desorden y se proponen temáticamente como un poema de viaje. Pero, aun subrayando todo esto en un prolijo título descriptivo —*Altazor o el viaje en paracaídas: Poema en VII cantos*—, el resultado logra sólo una ilusión de unidad, para sostener lo que Pound llamara refiriéndose a sus propios *Cantos,* «a tangle of works unfinished».

---

[2] Esta afirmación provisional se basa en una revisión incompleta de algunas publicaciones periódicas españolas de 1931. Es de esperar que una investigación más sistemática revele artículos y reseñas ahora desconocidos.

Huidobro, como Pound, fue pionero del poema extenso moderno, sin por eso dejar atrás su bagaje cultural y la noción de que un poema, pese a su extensión, debiera de alguna manera presentarse como un todo orgánico. El problema, desde luego, y salvando todas las proporciones, es que *Altazor,* como los *Cantos,* fue un proyecto de larga duración y discontinuo desarrollo, no redactado en un impulso lírico singular, sino más bien armado tras varias y sucesivas epifanías. Por eso, cuanto sabemos de su interrumpida génesis es útil para comprender su forma final. A pesar de que existen fragmentos y noticias sobre la elaboración del poema que, aunque escasos y dispersos, son de fundamental importancia para una lectura total de éste, carecemos de ediciones que recojan las diversas tentativas de Huidobro. De ahí su incorporación al Apéndice de esta edición.

GÉNESIS DEL PROYECTO

La referencia más temprana data de 1919, cuando Huidobro pasaba por España en viaje de regreso a París (tras breve visita a Chile). Se reunió en Madrid con Cansinos-Asséns, que informa así del encuentro:

> Vuelve a hallarse entre nosotros, de paso para París, el gran poeta chileno Vicente Huidobro (...). El poeta, que repite con más virtud propia el milagro rubeniano, ha superado sus osadías líricas de *Ecuatorial* y *Poemas árticos,* evitando el peligro de una regresión, aventuradamente presentada por algunos, y es portador de un libro todavía inédito, *Voyage en Parachute,* en que se resuelven arduos problemas estéticos[3].

---

[3] «Vicente Huidobro», *La Correspondencia de España* (Madrid), 24 de noviembre de 1919.

A juzgar por el título *(Voyage en Parachute),* la nueva obra estaba escrita en francés. Aún más importante para nosotros, ahora, es la indicación del propósito temático: iba a ser un poema en donde se resolvieran «arduos problemas estéticos». ¿Cuáles?

Conviene recordar que en *Poemas árticos,* publicado en Madrid en 1918, Huidobro trasladó a su lengua materna las técnicas del cubismo literario, perfeccionadas sólo un año antes con Juan Gris y el grupo «Nord-Sud» en París; el resultado había sido un conjunto de poemas tan raros como encantadores, basados en el principio artístico del *collage* verbal. En *Ecuatorial,* también aparecido en 1918, aplicó la misma técnica a un poema extenso de tema dramático: la guerra europea. La cascada de imágenes, tan eficaz en textos cortos, no tuvo la misma fuerza en el poema largo. Su amigo Juan Gris declaró no comprenderlo[4]. No puede sorprender que, por lo tanto, Huidobro en 1919 tratara de resolver este problema estético y que en un momento dado concibiera *Altazor* como correctivo de *Ecuatorial.* Lo cierto es que en el primer canto encontramos estos versos:

> Hace seis meses solamente
> Dejé la ecuatorial recién cortada
> En la tumba guerrera del esclavo paciente
> Corona de piedad sobre la estupidez humana.
> Soy yo que estoy hablando en este año de 1919
> Es el invierno
> Ya la Europa enterró todos sus muertos
> Y un millar de lágrimas hacen una sola cruz de nieve

(I, 109-116)

---

[4] *«Poemas árticos* yo lo considero superior a *Ecuatorial* o por lo menos lo comprendo mejor, lo poseo mejor por ser más familiar. El otro es para mí demasiado grandioso y no he llegado aún bien a penetrarlo» (Carta inédita, 15 de octubre de 1918; archivo Huidobro).

La voz del hablante es aquí similar a la de *Ecuatorial,* como lo es su concentrado conceptismo (lágrimas > nieve, pasando por alto la imagen intermedia de un cementerio militar: «Y un millar de lágrimas hacen una sola cruz de nieve»).

Otra relación menos concreta, aunque no menos intrigante entre ambos poemas, surge de su común naturaleza astral. El hablante de *Ecuatorial* asume el punto de mira de un dios, y eso le permite observar el continente en guerra como si lo hiciera desde otro planeta. En *Altazor,* el sujeto lírico se sitúa también en la altura distante, en una caída libre hacia la tierra. Uno de los lectores más autorizados del poema mantiene:

> Cada canto representa un cielo distinto transitado por Altazor en su vuelo. El primero es de Saturno, el segundo el de Venus, en estricta correspondencia que puede hallarse en los cantos finales: el sexto es el de la Luna y el séptimo y postrero el del Sol[5].

Esta correspondencia estructural, bastante menos «estricta» a mi parecer, puede derivar del hecho de que en una etapa intermedia del proyecto el poeta parece haber decidido darle un apuntalamiento astrológico. Un periódico de París, informando en 1923 de la versión cinematográfica de *Cagliostro* hecha por Huidobro, trae esta curiosa referencia a otra obra suya, entonces en preparación:

> *Les Chants de l'Astrologue,* ce sera le titre du prochain recueil de notre confrère M. Vincent Huidobro (...). Le chant comprendra 12 poèmes correspondants à chaque signe du zodiaque[6].

---

[5] Cedomil Goic, «Prólogo» a *Altazor* (Valparaíso, Ediciones Universitarias, 1974).

[6] «Belles-Lettres» *Comoedia* (París), 28 de marzo de 1923.

Altazor no tiene esta forma, aunque sí un vago semblante de ordenación simbólica debido a su presentación en siete cantos numerados y al hecho de que ciertos pasajes del texto se prestan para ser leídos como un horóscopo; así, por ejemplo, estas líneas del Canto II:

> He aquí tu estrella que pasa
> Con tu respiración de fatigas lejanas
> Con tus gestos y tu modo de andar
> Con el espacio magnetizado que te saluda
> Que nos separa con leguas de noche
>
> (II, 49-53)

La alusión es evidente, aun cuando no sepamos si Huidobro realmente creyera poco o mucho en la astrología.

Sabemos que era un mago *amateur* y, como otros artistas de formación modernista, un estudiante ocasional de las llamadas ciencias ocultas. Más que creyente parece haber sido crédulo: creador consciente del extraño poder que la magia y las artes negras podían ejercer en la imaginación. El mismo lo diría: «La Poesía es un desafío a la Razón.» Esto tal vez explica el humor punzante de *Cagliostro,* novela fílmica sobre el tema de la nigromancia, y el jocoso empuje del comienzo de *Altazor,* parte del cual dio a conocer en Chile, en 1925.

Jean Ernar («J'en ai marre», paródico nombre de pluma de Álvaro Yáñez), un amigo de Huidobro y algo así como el vocero de la vanguardia en la América del Sur, en los años 1920 celebró el retorno del poeta a Santiago de Chile, en 1925, incluyendo en sus muy leídas «Notas de Arte» para *La Nación* su propia traducción de un inédito en prosa, titulado muy significativamente «*Altazur:* fragmento de *Un viaje en paracaídas*». El título, que traduce sólo lo traducible, registra por vez primera el nombre del protagonista, entonces «Altazur», evidente compuesto bilingüe (alto/azur). El texto, versión primitiva de lo que luego sería el prefacio a *Altazor,* contiene variantes significativas respecto a la versión final. Lo más notable, a mi parecer, es el sostenido y bufonesco humor del original (véase Apéndice). A manera de ilustración, haré aquí una comparación breve. Cuando el paracaídas de Altazor queda enredado en la punta de una estrella —suceso de por sí burlesco— en ambas versiones el hablante decide aprovecharse de la pausa en la caída para archivar unos «profundos pensamientos» y, entre ellos, algunos de los dictámenes más celebrados por la crítica huidobriana («Se debe escribir en una lengua que no sea materna»; «Un poema es una cosa que será», etc.). En 1931, Huidobro cerrará la serie dirigiéndose al lector con el siguiente pronunciamiento, algo ambiguo: «Huye del sublime externo si no quieres morir aplastado por el viento.» En 1925, el remate humorístico de todo esto era harto más evidente: «Huye de lo grandioso si no quieres morir aplastado por un merengue.»

El lector que compare detenidamente ambos textos notará una insistente disparidad tonal, porque mientras Huidobro retuvo la mayor parte de la fraseología original, templó el humor con agregados de otra índole. De ahí que una declaración inicialmente tan simple como «Mi paracaídas saltó tres mil doscientos metros» se transforme así en la versión final:

> Mi paracaídas empezó a caer vertiginosamente. Tal es la fuerza de atracción de la muerte y del sepulcro abierto. Podéis creerlo, la tumba tiene más poder que los ojos de la amada. La tumba abierta con todos sus imanes. Y esto te lo digo a ti, a ti que cuando sonríes haces pensar en el comienzo del mundo.

Parecido razonamiento sobre el amor y la muerte forma e informa *Temblor de cielo;* aquí es el núcleo de la obra en prosa, mientras en el prefacio de *Altazor* parece más bien como injerto en un texto elaborado con otro propósito. Curiosa-

17

mente, el tono humorístico del prefacio apenas tiene eco en los cantos de *Altazor;* ni siquiera en los otros fragmentos del poema, publicados hacia 1926.

Para *Favorables-París-Poema* (octubre de 1926), revista parisina de Larrea y Vallejo, Huidobro escribió a mano una sección de lo que luego pasaría a integrar el Canto IV. El fragmento, no identificado entonces como procedente de *Altazor,* fue titulado «Venus» (véase facsímil en el Apéndice), tal vez como saldo del anterior esquema astrológico:

> Noche trae tu mujer de pantorrillas que son floreros de hortensias jóvenes remojadas de color.
>
> Como el asno pequeño desgraciado la novia sin flores ni globos de pájaros.
>
> El otoño endurece las palomas presentes. Mira los tranvías y el atentado de cocodrilos azulados que son periscopios en las nubes del pudor. La niña en ascensión al ciento por ciento celeste lame la perspectiva que debe nacer salpicada de volantines y de los guantes agradables del otoño que se debatía en la piel del amor.

Es de notar la desconcertante combinación del discurso encadenado y las abruptas discontinuidades. No todo el Canto IV es así, aunque este fragmento y otro, titulado simplemente «Poema» (véase Apéndice) y publicado en una revista vanguardista chilena *(Panorama,* abril de 1926), son intencionalmente densos; al recogerlos para su inclusión en *Altazor,* Huidobro los hizo aún más difíciles, suprimiendo la puntuación y rompiendo los versos de manera arbitraria. Hasta llegó a violentar la sintaxis eliminando algunas conexiones verbales. El porqué de estas transgresiones sólo resulta claro en el contexto total del Canto IV, donde tales trozos funcionan como una secuencia de textura surrealista o de apariencia surrealista. Es que Huidobro pretendía ir más allá del Surrealismo, más allá de la ilación (para él ilógica) del pensamiento no-articulado del subconsciente.

Esto lo hizo en otro adelanto de *Altazor,* un fragmento, también del Canto IV, que ofrece una primera muestra de la experimentación del poeta con un discurso inventado, aunque sólo en parte, pues los neologismos están compuestos por segmentos reconocibles del léxico:

> A l'horitagne de la montazon
> Une hironline sur sa mandodelle...

Esta porción del Canto IV (texto completo en el Apéndice) fue publicada en *Transition* (junio de 1930), la revista «órfica» de Eugène Jolas, y plantea una cuestión marginal, pero interesante, sobre la lengua o lenguas en que fue escrito *Altazor.* Se diría que fue concebido en francés y trabajado esporádicamente en francés y en español: una lengua, o cierto procedimiento expresivo de una lengua, sirviendo de impulso generatriz para la otra. En los versos citados vemos que, aun cuando el principio de ensamblaje es el mismo en ambas versiones *(l'horizon* y *la montagne* dando *l'horitagne* y *la montazon,* y eventualmente *el horitaña* y la *montazonte),* el francés sirvió de inspiración. La primogenitura del texto francés resulta evidente cuando se comparan las dos versiones de la secuencia. Se apreciará en los versos citados más abajo cómo Huidobro tuvo que contentarse con una españolización ortográfica de *rossignol,* ya que su equivalente en español (ruiseñor) no concordaba con el principio estructurante del texto, la escala musical:

Mais le ciel préfère la ro*DO*gnol	Pero el cielo prefiere el ro*DO*ñol
Son enfant gâté le ro*RE*gnol	Su niño querido el ro*RRE*ñol
Sa fleur de joie le ro*MI*gnol	Su flor de alegría el ro*MI*ñol
Sa peau de larme le ro*FA*gnol	Su piel de lágrima el ro*FA*ñol
Sa gorge de nuit le ros*SOL*gnol	Su garganta nocturna el ro*SOL*ñol
Le ro*LA*gnol	El ro*LA*ñol
Le ros*SI*gnol	El ro*SI*ñol

(IV, 193-199; la cursiva es mía)

El escribir, ya en francés ya en español, evidentemente hizo que los problemas estéticos de un poema tan ambicioso como *Altazor* fueran bastante más «arduos» que lo anticipado por Cansinos-Asséns, en 1919.

Altazor permaneció en el velar durante largo tiempo, unos doce años, y en su inacabada forma final solamente fue publicado en español. En contraste, el otro libro de 1931, *Temblor de cielo,* parece haber nacido ya maduro en ambas lenguas. Su título francés, *Tremblement de Ciel,* calculada catacresis de «tremblement de terre», sugiere que, como *Altazor,* fue pensado originalmente en esa lengua. Las dos versiones fueron publicadas con escasos meses de diferencia: *Temblor* en Madrid, verano de 1931; *Tremblement* en París[7], a comienzos de 1932. En tanto que *Altazor* es una extravagancia lingüística, *Temblor/Tremblement* es bastante moderado en su tratamiento del lenguaje. Ablandado sería quizás un término más adecuado, ya que los textos francés y español están trabajados y retrabajados para conseguir una casi absoluta equivalencia.

La opinión de Huidobro en el momento de publicarse *Altazor* y *Temblor de cielo* puede recogerse del borrador de una carta a Miró Quesada, fechada en junio de 1931:

> Por este mismo correo le mando mis libros *Altazor* y *Temblor de cielo. Altazor* es ya muy viejo y seguramente Ud. conocía fragmentos de él, pues se había dado en muchos diarios y revistas, tanto en francés como en español, desde hace más de diez años. Esto aparte las lecturas, tres o cuatro, que yo había hecho de ese poema. Pero era necesario publicarlo una vez por todas; mis amigos me lo pedían constantemente y al fin el pobre encontró editor. ¡Cuántas veces fue rechazado! Es un libro que tiene, sin duda, una importancia histórica porque en él están marcados todos

---

[7] El colofón de la edición francesa reza así: «Achevé d'imprimer le quinze Janvier mil neuf cent trente deux sur les presses de l'Imprimerie Union, treize rue Méchain, à Paris.»

los caminos que yo he seguido después y tal vez nunca
podré salir de alguna de sus rutas. Ésa es la importancia
que tiene para mí, aparte de la que pueda tener el poema
en sí y de la que pueda haber tenido para los demás. *Temblor
de cielo* es acaso más maduro, más fuerte, más hecho. Ha
producido gran entusiasmo en mis buenos amigos —tanto que me asusta— lo han puesto como una cosa enorme,
por encima de Lautréamont y de Rimbaud. Sinceramente
le digo que estoy asustado...[8].

Dejando de lado la cuestión de la sinceridad de Huidobro (siempre difícil de establecer cuando habla de sí mismo), el documento revela conciencia de las incongruencias
de *Altazor,* reconocimiento de algo constante en su estilo y,
lo que es más importante, deseo de figurar en la línea de los
poètes maudits y no en la de la vanguardia más reciente
(los apócrifos «rechazos» del manuscrito confirman esto).
Claves importantes para una lectura profunda de la obra de
Huidobro incitan a complementar lo que sabemos de la
elaboración del poema con lo ya conocido de las peripecias
del autor durante este periodo.

ARTE Y VIDA

En el prefacio a *Altazor,* publicado primeramente en 1925,
cuando el poeta frisaba los treinta y tres años, el comienzo
recuerda el estilo de los cómputos astrológicos: «Nací a los
treinta y tres años, el día de la muerte de Cristo; nací en el
Equinoccio, bajo las hortensias y los aeroplanos del calor.»
Otras referencias, igualmente coordenadas a su persona,
tiempo y lugar, se encuentran en el primer canto, comenzado
probablemente en 1918, después de la publicación de *Ecuatorial,* cuando Huidobro sólo tenía veinticinco años:

---

[8] Documento inédito; archivo Huidobro.

Soy yo Altazor el doble de mí mismo
El que se mira obrar y se ríe del otro frente a frente
El que cayó de las alturas de su estrella
Y viajó veinticinco años
Colgado al paracaídas de sus propios prejuicios

(I, 123-127)

Y en el Canto IV, cuando aparece su nombre es con fuerza de epitafio:

Aquí yace Vicente antipoeta y mago

(IV, 282)

El poema —ya se dijo— fue escrito en diferentes épocas: de ahí sus anacronismos y contradicciones. Y como es lógico, el juicio de Huidobro sobre él experimentó muchas transformaciones durante el largo periodo que va desde la primera mención pública de la obra, en 1919, hasta su publicación en volumen, en 1931. Las primeras muestras del texto, que datan de 1925-26, son conflictivas, y no pudieron dejar de serlo, ya que emergen en el umbral de un cambio transcendental como resultado del retorno del autor a Chile, de su malograda actuación en la política nacional como candidato Kemalista a la Presidencia y de su encuentro fatal con Ximena Amunátegui, joven estudiante de Liceo por quien dejaría a su mujer, con quien llevaba casado quince años, y los hijos. Semejante crisis de la edad madura es casi una etapa programable de la vida actual. Pero entonces la situación era muy distinta, particularmente en el cerrado mundo social de la alta burguesía chilena. Estas cosas no debían ocurrir y, cuando sucedían, había que mantenerlo en secreto. Huidobro, en su modo habitual de rebeldía, no siguió las reglas de la situación; hizo exactamente lo contrario, anunciando su pasión en las páginas de *La Nación*. ¡Y cuán públicamente! Para el Viernes Santo (2 de abril de 1925), hizo

imprimir «Pasión y muerte», desenfrenada confesión abierta
que en parte reza así:

> Señor, perdóname si te hablo en un lenguaje profano,
> Mas no podría hablarte de otro modo pues soy esencial-
> mente pagano.
> Por si acaso eres Dios, vengo a pedirte una cosa
> En olas rimadas con fatigas de prosa.
> Hay en el mundo una mujer, acaso la más triste, sin duda
> la más bella...

Parte del problema residía en que la mujer en cuestión
era, además de bella, menor de edad y, por añadidura, hija
de un poderoso hombre público. Huelga decir que ninguna familia permitió que el asunto prosperara. La mujer de
Huidobro, por su parte, rehusó participar en un seudo-
matrimonio, por lo cual el poeta, amenazado de muerte, se
vio obligado a salir de Chile solo. Se fue a París para cerrar
su casa familiar en Montmartre y dirigirse a Nueva York
con intenciones de comenzar una nueva vida. En 1927 re-
sidió en la metrópolis americana escribiendo, en ocasiones,
para periódicos y revistas en inglés, y hasta ganó un premio
cinematográfico por el libreto de *Cagliostro*[9]. Parecería, sin
embargo, que sólo estaba esperando a que Ximena alcanza-
ra la mayoría de edad, porque en 1928, en un episodio fo-
lletinesco, viajó clandestinamente a Chile, donde raptó a
su amada a la salida del Liceo y la llevó a París, establecien-
do su nuevo hogar en el distrito de Montparnasse, 16 rue
Boissonade.

Durante este periodo escribió *Temblor de cielo*. De ahí la
significación de la fecha, 1928, que ostentan las portadas
originales de *Temblor/Tremblement*. La contraportada de la
edición francesa trae, además, un voluptuoso corazón tipo
San Valentín. Es un momento de éxtasis. Las circunstan-

---

[9] «Chilean Gets Film Prize», *New York Times,* 23 de julio de 1927.

cias le llevaron a emprender nuevos y ambiciosos proyectos (como la reescritura del Cid, viéndose junto a Ximena como reencarnación moderna de la pareja medieval)[10] y a finalizar otros pendientes, entre los que destaca *Altazor*. En la decisión de acabar esta obra, tantas veces comenzada (y abandonada), influyó otro factor también circunstancial: la publicación, en 1928, del estudio de Roland de Rénèville, *Rimbaud le Voyant,* que popularizó la tesis, novedosa en aquellos días, de la búsqueda de una nueva lengua poética del visionario como un fracaso; fracaso tan digno como rotundo. Para Huidobro, formado en el molde estético del modernismo postrero y creyente ferviente en la misión redentora de la poesía, esta tesis fue algo así como un momento de auto-reconocimiento, permitiéndole, al igual que Rimbaud, renunciar a la busca y reconocer sin pesar el *impasse* de la vanguardia literaria. Especulación ésta sobre las razones de su conducta, pero especulación fundada en algo comprobable: el subsecuente empeño de presentarse como poeta fracasado, como un *gran* poeta fracasado. Éste se perfila nítidamente en su ya citada carta a Miró Quesada —y en otra a Buñuel sobre el Surrealismo—. En 1931, cuando estaban para aparecer *Altazor* y *Temblor de cielo,* responde con típica altanería a un supuesto insulto, tan grato como gratuito, de Buñuel:

> Respecto a lo de artista fracasado es posible que tenga Ud. razón (pero) en mi fracaso voy junto con Rimbaud y Lautréamont[11].

---

[10] Habiendo documentado su posible ascendencia de Alfonso el Sabio, Huidobro solicitó clarificación sobre su abolengo a Menéndez Pidal, quien le respondió que «en efecto, don Alfonso X fue descendiente del Cid, ya que su abuelo Alfonso VIII era biznieto de una hija del Cid» (Carta inédita, 1 de marzo de 1929; archivo Huidobro).

[11] Documento inédito; archivo Huidobro.

Ahora que sabemos algo de la génesis de *Altazor* y de las peripecias y cambios de actitud del poeta durante el largo periodo de su elaboración, es llegado el momento de retomar el texto mismo; en la primera edición, encontramos una importante nota, suprimida de todas las ediciones posteriores:

> Este poema ha sido publicado en diferentes diarios y revistas en fragmentos dispersos y sin orden. Es la primera vez que se publica en libro y completo.

La integridad que esto implicaría no estaba confirmada por el texto mismo, cuyas disparidades de tono, estilo y contenido fueron, sin duda, obstáculo principal para una lectura correcta de *Altazor* en el momento de aparecer. Y aun cuando a través de los años se sucedieron las ediciones de *Altazor* y nuevas tentativas de lectura, el poema sigue eludiendo toda interpretación que lo abarque en su totalidad. Tan es así que hoy mismo, aunque hay consenso en cuanto a su importancia, no lo hay con respecto al por qué. Esta circunstancia es desafortunada, pero comprensible si tomamos en cuenta el hecho de que *Altazor* no es una obra «acabada» en el sentido tradicional del término. El texto es más bien una obra en progresión discontinua, repentinamente conclusa, congelada como «obra abierta» en el momento de ser entregada a la imprenta.

El prefacio en prosa y el primer canto registran dos concepciones distintas de lo que iba a ser la obra, dos tentativas temporal y estéticamente separadas (y separables). En cambio, los Cantos III-VII, considerados aparte y en conjunto, encuentran su propia unidad en el patrón de su progresiva desarticulación. El Canto II es un caso distinto, relacionable, como luego veremos, con otras constantes de la obra de Huidobro. En resumen, entre las tapas de *Altazor* hay varios y variados comienzos con un final común: el fracaso. Por ello, un examen de la singularidad de cada fragmento es quizás el procedimiento más indicado para apreciar la riqueza total del libro.

El Canto I, el más largo, casi setecientos versos, es también el de arquitectura más sólida. Comienza con una serie de preguntas especulativas que Altazor se plantea a sí mismo, a Altazor-Huidobro. La preocupación central es de orden metafísico: la urgencia de arribar al significado de la vida, metaforizada aquí (y a lo largo del poema) como caída temporal y espacial hacia el olvido:

> Cae en infancia
> Cae en vejez
> Cae en lágrimas
> Cae en risas
> Cae en música sobre el universo
> Cae de tu cabeza a tus pies
> Cae de tus pies a tu cabeza
> Cae del mar a la fuente
> Cae al último abismo de silencio
> Como el barco que se hunde apagando sus luces

(I, 47-56)

Numerosos aspectos biográficos, generacionales y culturales fueron identificados como impulsores de esta angustiada caída: pérdida personal de la fe, el decantado tópico de la decadencia de Occidente, el legado rimbaudiano del poeta como visionario... Pero el aspecto más singular del poema no es este conglomerado de tópicos, sino su tratamiento disperso en un poema largo, que es en esencia un prolongado diálogo lírico del poeta consigo mismo, diálogo angustiado y vacilante que trasciende el ajustado discurso profético de la poesía hispánica de su época. El resultado, aun en los fragmentos más racionales, es una comunicación inconclusa:

> Abrí los ojos en el siglo
> En que moría el cristianismo
> Retorcido en su cruz agonizante
> Ya va a dar el último suspiro
> ¿Y mañana qué pondremos en el sitio vacío?
> Pondremos un alba o un crepúsculo
> ¿Y hay que poner algo acaso?

(I, 91-97)

El canto tiene un dinámico desarrollo interno. Expuestos los preliminares, e instalado Altazor-Huidobro como protagonista, la arremetida del hablante se intensifica: cuestionar el destino es querer cambiarlo imponiendo la ruptura con las fórmulas culturales establecidas. Así, una letanía sobre la inmensidad divina, que por sus resonancias parece chorrear del subconsciente, acaba llevando a ridiculizar y desechar esa inmensidad:

> Dios diluido en la nada y el todo
> Dios todo y nada
> Dios en las palabras y en los gestos
> Dios mental
> Dios aliento
> Dios joven Dios viejo
> Dios pútrido
>   lejano y cerca
> Dios amasado a mi congoja
>
> Sigamos cultivando en el cerebro las tierras del error
> Sigamos cultivando las tierras veraces en el pecho
> Sigamos
> Siempre igual como ayer mañana y luego y después
> No
> No puede ser. Cambiemos nuestra suerte

(I, 149-163)

Otras variantes de esta fórmula de negación surgen al enfrentar otras tantas perogrulladas de nuestra cultura: la necesidad de sufrir: «No/No puede ser/Consumamos el placer» (I, 182-184); la de perseverar frente a la adversidad: «Seguir/No/Basta ya» (I, 229-230); la de aceptar la vida como preparación para la muerte: «No/Que se rompa el andamio de los huesos» (I, 265-266). Desechadas estas explicaciones para encontrar el sentido de la vida, el hablante pide un milagro, un nuevo «bateau ivre»:

Todo en vano
Dadme la llave de los sueños cerrados
Dadme la llave del naufragio
Dadme una certeza de raíces en horizonte quieto
Un descubrimiento que no huya a cada paso
O dadme un bello naufragio verde
Un milagro que ilumine el fondo de nuestros mares íntimos
Como el barco que se hunde sin apagar sus luces

(I, 301-308)

El Canto I está estructurado con precisión formal: justo en su punto medio, la progresión del pensamiento le es señalada al lector con un símil repetido y alterado, basado en la idea de la vida como barco que zozobra («como el barco que se hunde apagando sus luces» > «como el barco que se hunde sin apagar sus luces») (I, 56 > 308). La iluminación, tan anhelada, no se efectúa. No sorprende que la voz del hablante cambie de tono, adquiriendo vigor de desafío en la segunda mitad del canto:

Soy todo el hombre
El hombre herido por quién sabe quién
Por una flecha perdida del caos
Humano terreno desmesurado
Sí desmesurado y lo proclamo sin miedo
Desmesurado porque no soy burgués ni raza fatigada

Soy bárbaro tal vez
Desmesurado enfermo
Bárbaro limpio de rutinas y caminos marcados
No acepto vuestras sillas de seguridades cómodas
Soy el ángel salvaje que cayó una mañana
En vuestras plantaciones de preceptos
Poeta
Anti poeta
Culto
Anti culto

(I, 357-372)

El tono luciferino de Altazor es aquí notable. Además, la búsqueda del orden nuevo se anuncia en términos e imaginería de un Segundo Advenimiento (negro):

Yo poblaré para mil años los sueños de los hombres
Y os daré un poema lleno de corazón
En el cual me despedazaré por todos lados

(I, 572-574)

Evidentemente el código referencial de *Altazor* era en sus comienzos cristiano y rimbaldiano: un poema visionario y angustiado en el cual diferentes personas poéticas apuntarían a una redención por medio del texto.

El primer canto, que ahora comentamos, debe de haber sido compuesto cuando Huidobro tenía fe en el poder redentor de la poesía, por cuanto llega a apropiarse del lenguaje de los Salmos para expresarse con tonalidad más persuasiva:

Mas no temas de mí que mi lenguaje es otro
No trato de hacer feliz ni desgraciado a nadie
Ni descolgar banderas de los pechos
Ni dar anillos de planetas
Ni hacer satélites de mármol en torno a un talismán ajeno

29

Quiero darte una música de espíritu
Música mía de esta cítara plantada en mi cuerpo
Música que hace pensar en el crecimiento de los árboles

(I, 600-607)

Llevado por el optimismo, apunta a un cierre triunfal. De ahí la simetría estructural del canto. Hacia el final, el estribillo, «Silencio la tierra va a dar a luz un árbol», al reiterarse, subraya y exalta con cada repetición la insistente afirmación de que se está a punto de alcanzar algo nuevo:

Silencio la tierra va a dar a luz un árbol
Tengo cartas secretas en la caja del cráneo
Tengo un carbón doliente en el fondo del pecho
Y conduzco mi pecho a la boca
Y la boca a la puerta del sueño
El mundo se me entra por los ojos
Se me entra por las manos se me entra por los pies
Me entra por la boca y se me sale
En insectos celestes o nubes de palabras por los poros
Silencio la tierra va a dar a luz un árbol...

(I, 642-651)

El estribillo sirve para acumular fuerza e intensidad, y Huidobro lo usa certeramente al introducir una variación para cerrar el canto, dando a la aseveración final una cualidad un tanto transcendental:

Silencio
        Se oye el pulso del mundo como nunca pálido
La tierra acaba de alumbrar un árbol

(I, 682-684)

Así termina el Canto I; mientras el canto siguiente es una oda a la mujer que tiene poco a nada que ver con el primero.

Un fragmento que bien pudo ser compuesto como continuación de lo anunciado tan rotundamente al final del Canto I, se encuentra en otro libro de Huidobro, *Ver y palpar* (1941). En él hay un curioso «Poema para hacer crecer los árboles» cuyo juego generador de palabras es muy similar al de los cantos últimos de *Altazor*. Que este escrito hubiera alguna vez formado parte del poema mayor es mera hipótesis, mencionada aquí como curiosidad. El hecho es que el Canto I es un todo completo en donde se declara la necesidad de forjar un nuevo tipo de expresión y se anuncia su inminencia.

Aunque el canto segundo no funciona como progresión lógica del primero, merece consideración por sus propios méritos. A estas alturas habré de contentarme con indicar su relación, su ambigua relación no con *Altazor*, sino con otras obras de Huidobro, anteriores y posteriores. En 1913, en *Las pagodas ocultas*, volumen de prosa modernista dedicado a su esposa, se pueden encontrar estos versículos:

> Oye, Amada, tus ojos son dos santos que absuelven
> mis acciones y aprueban mis designios.
> ¿Irías a ser muda que Dios te dio esos ojos?
> ....
> ¿Irías a ser ciega que Dios te dio esas manos?

Casi la misma formulación se repite en el Canto II de *Altazor* con un sugestivo calificativo temporal, «otra vez»:

> Heme aquí en una torre de frío
> Abrigado del recuerdo de tus labios marítimos
> Del recuerdo de tus complacencias y de tu cabellera
> Luminosa y desatada como los ríos de la montaña
> ¿Irías a ser ciega que Dios te dio esas manos?
> Te pregunto otra vez
> ....
> Te pregunto otra vez
> ¿Irías a ser muda que Dios te dio esos ojos?

(I, 19-24; 85-86)

31

Relación intertextual intrigante pero inconclusa. No conocemos las circunstancias concretas que rodearon la producción de este canto, y sólo sabemos que vida y arte se entrecruzan con frecuencia en la obra de Huidobro y que *Temblor de cielo* está sostenido por una misma intensidad lírica. El lirismo bien puede ser la constante a que aludía Huidobro al confesar a Miró Quesada «tal vez nunca podré salir de alguna de sus rutas».

Hasta aquí he insistido en las discontinuidades del libro, sus diversos y divergentes modos expresivos; pero ahora quisiera llamar la atención sobre su punto común de arranque: la busca de un nuevo sistema expresivo. El tema, planteado en el Canto I, es retomado en el III, donde incluso se llega a cuestionar la eficacia del instrumento poético:

> Manicura de la lengua es el poeta
> Mas no el mago que apaga y enciende
> Palabras estelares y cerezas de adioses vagabundos
> Muy lejos de las manos de la tierra
> Y todo lo que dice es por él inventado
> Cosas que pasan fuera del mundo cotidiano
> Matemos al poeta que nos tiene saturados
>
> Poesía aún y poesía poesía
> Poética poesía poesía
> Poesía poética de poético poeta
> Poesía
> Demasiada poesía
> Desde el arco iris hasta el culo pianista de la vecina
> Basta señora poesía bambina

(III, 44-57)

A partir del Canto III los versos de *Altazor* asumen una dirección clara de movimiento hacia una progresiva desarticulación que culmina en el grito prístino que cierra el Canto VII y el libro. Estos cantos (del III al VII), tomados en conjunto, pueden leerse como una continuada divagación por corredores hasta entonces inexplorados del lenguaje poético: un literaturizado «viaje de busca» en el que el poeta utiliza nuevos recursos expresivos y los va dejando atrás, tan pronto como su limitación se le hace aparente. En este sistema de sucesivos cambios, lo único constante es el procedimiento: una posibilidad lingüística es puesta en uso y abuso: es llevada hasta el extremo, llegando hasta agotarse a sí misma y, por consiguiente, al lector. *Altazor* supera de este modo su propia forma, pasando de ser un poema que discurre sobre los límites de la poesía a ser otro que muestra y demuestra textualmente las posibilidades y limitaciones de la expresión misma: un *tour de force* verbal que en la lectura se convierte en *performance,* en un «happening» lingüístico.

Huidobro allana el terreno para esta temeraria empresa denigrando los supuestos «adelantos» de la poesía moderna. Comienza, muy apropiadamente, descartando el símil alógico sistematizado por Lautréamont:

> Basta señora de las bellas imágenes
> De los furtivos *comos* iluminados
> Otra cosa otra cosa buscamos
> Sabemos posar un beso *como* una mirada
> Plantar miradas *como* árboles...

> (III, 65-69; la cursiva es mía)

Tras una treintena de insólitas imágenes así enfiladas, algo cansadamente, la serie se abandona en unos fatigados etcéteras «colgar reyes como auroras / Crucificar auroras como profetas / Etc. etc. etc.» (III, 102-104).

El propósito es crear un espacio literario propio, desechando procedimientos alguna vez considerados extraordinarios en el ejercicio de la literatura moderna: procedimientos que, según cree, sólo han ocasionado la «muerte» del lenguaje y el «entierro de la poesía» (III, 120). Es notable que al final del canto llegue a cuestionar no sólo su propio sistema creacionista (el del cubismo literario) sino otros que cree engendrados por éste, como el del Surrealismo. El contexto teórico del fragmento abajo citado es la definición de la imagen surrealista dada por Breton (modificación a su vez de la cubista de Reverdy): «La valeur de l'image dépend de la beauté de l'étincelle obtenue; elle est, par conséquent, fonction de la différence de potentiel entre les deux conducteurs»[12]:

Y puesto que debemos vivir y no nos suicidamos
Mientras vivamos juguemos
El simple sport de los vocablos
De la pura palabra y nada más
Sin imagen limpia de joyas
(Las palabras tienen demasiada carga)
Un ritual de vocablos sin sombra
Juego de ángel allá en el infinito
Palabra por palabra
Con luz propia de astro que un choque vuelve violento
Más grande es la explosión
Pasión del juego en el espacio
Sin alas de luna y pretensión
Combate singular entre el pecho y el cielo
Total desprendimiento al fin de voz de carne
Eco de luz que sangra sobre el aire

Después nada nada
Rumor aliento de frase sin palabra

(III, 142-160)

---

[12] *Manifeste du Surréalisme* (París, Kra, 1924). La definición de Reverdy se encuentra en *Nord-Sud* (marzo de 1918): «L'image est une création pure de l'esprit. Elle ne peut naître d'une comparaison mais du rapprochement de deux réalités plus ou moins éloignées. Plus les rapports des deux réalités rapprochées seront lointains et justes, plus l'image sera forte...»

Así termina el Canto III. Mientras ofrece una apretada síntesis de los últimos cambios experimentados por la literatura moderna —cambios que produjeron la muerte cíclica de la poesía— el IV presenta la otra cara de la historia: la renovación cíclica del arte. De ahí el tono urgente de su *leitmotiv:* «No hay tiempo que perder». Este verso se repite unas quince veces a lo largo del canto a medida que Huidobro ensaya una rica gama de posibilidades expresivas, desde el fluir psíquico del Surrealismo hasta una especie de trans-significación basada en la «de-construcción» de palabras en sus componentes para luego sugerir palabras nuevas con nuevos significados:

> Aquí yace Raimundo raíces del mundo son sus venas
> Aquí yace Clarisa clara risa enclaustrada en la luz
> Aquí yace Alejandro antro alejado ala adentro
> ....
> Aquí yace Altazor azor fulminado por la altura

(IV, 277-281)

Esta técnica de distorsión, citada en su nivel más elemental, puede dar cabida a infinitas posibilidades expresivas. No podemos, ni debemos, señalarlas todas; sólo recordaremos el curioso poder que ejercen sobre el lector, obligándole a gozar estéticamente de un texto demoledor, auto-destructor.

En el siguiente ejemplo, el hecho de ser la lectura un acto rigurosamente secuencial se aprovecha para fundamentar una distorsión tan sencilla como eficaz:

> El meteoro insolente cruza por el cielo
> El meteplata el metecobre
> El metepiedras en el infinito
> Meteópalos en la mirada
> Cuidado aviador con las estrellas

(IV, 289-293)

35

La trans-significación ocasionada por utilizar la palabra meteoro como compuesta (mete-oro), produce un efecto humorístico que parece relacionarse con el del prefacio. Pero los efectos no son las causas, y aquí el humor funciona para destacar la naturaleza polivalente del lenguaje, su potencialidad para generar significados según el contexto. Habiendo encontrado esta «clave», el reversible «eterfinifrete». Huidobro se apresura a cerrar el Canto IV sobre esta nota falsamente triunfal:

> El pájaro tralalí canta en las ramas de mi cerebro
> Porque encontró la clave del eterfinifrete
> Rotundo como el unipacio y espaverso
> Uiu uiui
> Tralalí tralalá
> Aia ai aaia i i

(IV, 334-339)

Calculada ironía la de que el plácido cantar del poeta-pájaro no prefigure un nuevo y más natural lenguaje, como aquí se aparenta, sino el angustiado remate del Canto VII: la trans-significación vuelta no-significación que finaliza la busca de *Altazor*.

Pero antes de llegar al callejón sin salida del final, Huidobro divierte y maravilla con una deslumbrante muestra de posibilidades expresivas. La primera línea del Canto V salta a la vista con la fuerza de una advertencia: «Aquí comienza el campo inexplorado». Altazor servirá de guía al lector por un terreno lingüístico «inexplorado» donde las reglas del bien decir o se ignoran o se violentan. El resultado es una libertad festiva cuya última consecuencia será la anarquía. Al principio, sin embargo, las posibilidades expresivas son tan atrayentes como sencillas, la poesía es una invitación a jugar con las palabras. Veamos algunos ejemplos. En el siguiente, el recurso elemental (e inusitado) de alterar los géneros crea una suerte de inocente novedad:

> La montaña y el montaño
> Con su luno y con su luna
> La flor florecida y el flor floreciendo
> Una flor que llaman girasol
> Y un sol que se llama giraflor

> (V, 110-114)

En otro, la rima interna resalta como en las canciones de niños, con el correspondiente trastrueque auditivo haciendo posible el intercambio de palabras de sentido muy lejano:

> Nos frotamos las manos y reímos
> Nos lavamos los ojos y jugamos

> El horizonte es un rinoceronte
> El mar un azar
> El cielo un pañuelo
> La llaga una plaga
> Un horizonte jugando a todo mar se sonaba con el cielo
> después de las siete plagas de Egipto
> El rinoceronte navega sobre el azar como el cometa en su
> pañuelo lleno de plagas

> (V, 215-222)

Estos procedimientos no son arbitrarios. El sistema de «de-escritura» va variando, pero siempre hay un sistema. En general, Huidobro establece una cierta tensión poética desfamiliarizando lo familiar. En alguna secuencia el contenido léxico se mantiene constante mientras se altera el orden verbal:

> La herida de luna de la pobre loca
> La pobre loca de la luna herida
> Tenía luz en la celeste boca
> Boca celeste que la luz tenía

> (V, 231-234)

Todo es variable; las palabras mismas son transformadas, y su función trocada: los sustantivos se hacen verbos y los verbos se sustantivan:

> La cascada que cabellera sobre la noche
> Mientras la noche se cama a descansar
> Con su luna que almohada el cielo
> Yo ojo el paisaje cansado
> Que se ruta hacia el horizonte

(V, 497-501)

En todo el canto el acento recae sobre lo mismo, sobre la idea de poesía como juego. Pero es un juego no sólo discurrido para divertir sino más bien para cansar; y para que el lector llegue al punto adecuado de cansancio, se echa a andar un molino de imágenes, molino que gira y que gira, página tras página, durante centenares de versos:

> Jugamos fuera del tiempo
> Y juega con nosotros el molino de viento
> Molino de viento
> Molino de aliento
> Molino de cuento...

(V, 239-243)

El efecto es demoledor. Se obliga al lector a reconocer que la variedad puede ser infinita, pero sin sentido; al final del canto el hablante lo señala en un verso que queda tipográficamente aparte, solitario llamado a la realidad: «Y yo oigo la risa de los muertos debajo de la tierra». La poesía como juego, pero juego intranscendente cuando es sólo formal.

Si los Cantos IV y V fueron concebidos para allanar el pasado y presente de la poesía de vanguardia, nivelándola en un formalismo carente de sentido, el VI, junto con el último, preconizan un futuro igualmente vacuo: callejón sin salida en que ya exhaustas las posibilidades combinatorias la poesía es reducida a sonidos desprovistos de significado. El proceso es calculado. En el Canto VI el léxico es todavía reconocible, aunque el sentido no lo es. Por lo tanto, es un canto que no se lee; se pronuncia. Y al pronunciarlo se perciben patrones rítmicos de la poesía tradicional. En el siguiente fragmento el octosílabo y la repetición de fórmulas características del romance sirven como unificadores del ritmo, creando la ilusión de la poesía, de algo familiar que suena como poesía:

> Ancla cielo
> > sus raíces
> El destino tanto azar
> Se desliza deslizaba
> Apagándose pradera
> Por quien sueña
> Lunancero cristal luna
> En que sueña
> En que reino
> > de sus hierros
> Ancla mía golondrina
> Sus resortes en el mar

(VI, 114-125)

De la falta de significación con un léxico familiar en el Canto VI, pasamos en el VII a un lenguaje inventado, en que lo único reconocible es el sistema fónico del castellano:

> Tempovío
> Infilero e infinauta zurrosía
> Jaurinario ururayú
> Montañendo oraranía
> Arorasía ululacente
> Semperiva
> > ivarisa tarirá

Campanudio lalalí
                    Auriciento auronida
Lalalí
        Io ia
i i i o
Ai a i ai a i i i i o ia

(VII, 54-66)

Así termina *Altazor.* ¿Grito primario o anuncio de algo nuevo? Fin del experimentalismo formal y comienzo de una literatura de contenido más humano. Muestra de ello es *Temblor de cielo,* libro que acompañó a *Altazor* cuando éste se publicó en 1931.

«TEMBLOR DE CIELO»

Sabemos, por la citada carta a Miró Quesada, que Huidobro tenía gran aprecio por este texto en prosa considerándolo como algo «más maduro, más fuerte, más hecho». Al igual que su contraparte en verso, está dividido en siete apartados. Al final del último, su forma retórica, de discurso hablado, queda explicitada:

> Dos palabras aún, amigos míos, antes de terminar: Vanas son nuestras luchas y nuestras discusiones, vana la fosforescencia de nuestras espadas y de nuestras palabras. Sólo el ataúd tiene razón. La victoria es del cementerio. El triunfo sólo florece en el sembrado misterioso.
>
> Así fue el discurso que habéis llamado macabro sin razón alguna, el bello discurso del presentador de la nada.

Así hablaba Huidobro, con evidente empuje nietzscheano. Empuje necesario, ya que el asunto del libro había sido tabú: Dios y la sexualidad en el trayecto vital del hombre. Esto se detalla desde la primera frase, harto franca para lo que se estilaba entonces:

Ante todo hay que saber cuántas veces debemos abandonar a nuestra novia y huir de sexo en sexo hasta el fin de la tierra.

El argumento es escueto y desarrollado a saltos, pasando del sentimiento de un cambio inminente (como en *Altazor*) a un cataclísmico temblor de cielo cuyo resultado es doble: la muerte de Dios y la liberación sexual del hombre. El poema así resumido puede parecer trivial, pero no lo es. Y ello se debe tanto al arte de Huidobro como a las circunstancias que lo informan.

Tras el rapto espectacular de Ximena en Santiago de Chile, la pareja huyó a París, instalándose allí, en la primavera de 1928, justo a tiempo para coincidir con *Tristan und Isolde*, ópera de Wagner que se representaba a la sazón en el Palais Garnier. Este drama lírico, como bien es sabido, celebra el amor erótico y adúltero como fuerza total, tan total que acaba con los amantes llevándolos a la muerte. Esto encuentra eco en el poema de Huidobro, cuya figura femenina es llamada, muy significativamente, Isolda.

Las alusiones a la ópera son de varia índole: en lo argumental, por el paralelismo con su irregular situación personal (como lo fue la de Wagner y su Mathilde); y en lo temático, por su exhuberante erotismo. A veces Huidobro enlaza el discurso lírico con la escenificación de la ópera, como en el fragmento siguiente:

—Isolda, Isolda, en la época glacial los osos eran flores. Cuando vino el deshielo se libertaron de sí mismos y salieron corriendo en todas direcciones.

Piensa en la resurrección.

Sólo tú conoces el milagro. Tú has visto ejecutarse el milagro ante cien arpas maravilladas y todos los cañones apuntando al horizonte.

Había entonces un desfile de marineros ante un rey en un país lejano. Las olas esperaban impacientes la vuelta de los suyos. Entretanto el mar aplaudía.

41

El «milagro» alude al final del primer acto, cuando Tristán e Isolda, después de tomar la poción de amor (que creían ser veneno), en vez de morir nacen a la sexualidad; y no pudiendo resistir más la poderosa atracción que el uno ejerce sobre el otro se abrazan públicamente, ignorando la llegada del barco a su destino. En *Temblor de cielo* tenemos una versión literaturizada de la ópera o, más exactamente, de ciertas escenas de ella: una libre re-escritura poética de un espectáculo visto, oído..., y vivido.

Las coordenadas, aunque muchas y relevantes, no son sistemáticas. Incluso entra lo gratuito, derivado tal vez de información contenida en las notas del programa de la ópera, como por ejemplo el lugar común de cuántos tenores murieron después de cantar el emocionante papel de Tristán. Esto explica una observación tan abrupta (y tan genial) como la siguiente:

En todas las escalas se supone un asesino escondido. Los cantores cardíacos mueren sólo de pensar en ello.

Todo, sin embargo, por gratuito que parezca a primera vista, encuentra su unicidad última en los motivos conexos de amor y muerte. Buen indicio es el texto bilingüe rigurosamente equivalente en sus versiones francesa y española; hasta las divergencias devienen semejanzas:

Es una cuestión de sangre y huesos frente a un imán especial.	C'est une question de sang et d'os devant un aimant spécial.

¿Cuál es la frase original? Términos como «aimant» e «imán» son equivalentes para el oído, pero en el compartido contexto de ambas versiones encuentran otra equivalencia a un nivel de significación más profundo: su poderosa fuerza de atracción. ¿No es todo *aimant* un imán?

No quiero marginar al lector con éste y otros detalles de composición, sino sentar una base informativa para la revaloración de un texto indebidamente considerado obscuro por su contenido y descuidado por su forma. Ignorado durante largo tiempo, es llegado el momento de apreciar que *Temblor de cielo* marca un hito muy importante en la evolución de Huidobro; es, más que nada, secuela de *Altazor:* escrito artístico que retoma la palabra muerta del vanguardismo anterior y la rearticula, restaurando la expresión poética a su tradicional función comunicativa.

Temblor de cielo en algún sentido es consecuencia del Canto II de *Altazor,* aquella apasionada oda a la mujer curiosamente inserta allí. Aquí, sin embargo, la expresión es más directa, menos velada: la mujer como atracción, imán/ *aimant* que arrastra al hombre con tanta fuerza como la muerte. Huidobro, para hacerlo ver, recurre a imaginería muy tradicional, hasta alegórica. La mujer como templo:

> (...) ella tendida de espaldas imita un templo. Mejor dicho son los templos los que las imitan a ellas, con sus torres como senos, su cúpula central como cabeza y su puerta que quisiera imitar al sexo por donde se entra a buscar la vida que late en el vientre y por donde debe salir después la misma vida.

El concepto entrecruza vida sexual y religiosa; más adelante será extendido, humanizado, al juntarlo todo con la muerte:

> Y ese juego que habéis creído que es el juego de la vida, no es sino el juego de la muerte.
> He ahí al hombre sobre la mujer desde el principio del mundo hasta el fin del mundo. El hombre sobre la mujer eternamente como la piedra encima de la tumba.
> No otra cosa sois que la muerte sobre la muerte.

Interesa dejar anotado que la ópera termina de manera parecida, con Isolda tendida sobre el cadáver de Tristán. La correspondencia amor-vida-muerte no es original, ni pretende serlo; la crisis personal del autor transido por la pasión se inserta (y se comprende) en un código cultural. Por esas fechas, Huidobro se interesaba menos en crear una imagen nueva y más por comunicar una verdad: la verdad de la vida, de su vida. *Altazor* y *Temblor de cielo,* considerados en conjunto, testimonian el paso del autor de la década de los años veinte del siglo xx a la de los treinta, de la vanguardia a la modernidad. Paso personal y artístico que hará trizas dos mitos divinos: Dios, y el poeta como un pequeño dios.

Para apreciar el temple estético de Huidobro en el momento de publicarse estos poemas hay un documento importante, monumental diría, tan grande que por su excesividad misma, no se ha reparado en él. La edición original de *Temblor de cielo* llevaba como prólogo un artículo titulado «La poesía» e identificado como «fragmento de una conferencia leída en el Ateneo de Madrid el año 1921» (véase Apéndice). Cabe preguntarse por qué. ¿Por qué este escrito teórico aparece allí y no en la recopilación de *Manifestes* publicada en 1925? Al leer la conferencia, o, mejor dicho, el «fragmento» de ella, se advierte que retiene el concepto tradicional del poeta como vidente y a la vez ofrece un concepto moderno de su compromiso: ensanchar el horizonte mental del hombre:

> Toda poesía válida tiende al último límite de la imaginación. Y no sólo de la imaginación, sino del espíritu mismo, porque la poesía no es otra cosa que el último horizonte, que es, a su vez, la arista en donde los extremos se tocan...
>
> El poeta os tiende la mano para conduciros más allá del último horizonte, más arriba de la punta de la pirámide, en ese campo que se extiende más allá de lo verdadero y lo falso, más allá de la vida y de la muerte...

El «fragmento» es doblemente iluminador por lo que contiene y por lo que no contiene. Es notable que a pesar de su indicada procedencia ni siquiera mencione el Creacionismo que, como se recordará, motivó el discurso de 1921 en el Ateneo. Es igualmente curiosa la insistencia del poeta en verse como guía del «más allá». La misma voluntad quedó expresada al comienzo del Canto IV de *Altazor:*

> No hay tiempo que perder
> A la hora del cuerpo en el naufragio ambiguo
> Yo mido paso a paso el infinito
>
> El mar quiere vencer
> Y por lo tanto no hay tiempo que perder
> Entonces
>   Ah entonces
> Más allá del último horizonte
> Se verá lo que hay que ver...

(IV, 22-30)

El hecho es que *Temblor* y *Altazor* presentan dos visiones del «más allá», dos visiones distintas y complementarias, una apocalíptica y la otra de la Creación. Creación y no Creacionismo. Huelga insistir en que en ese momento el ismo para Huidobro era ya letra muerta.

Conclusión

La crítica se ha sentido más atraída por el fulgor de *Altazor* que por otras obras del poeta, aunque para él no fue su texto más logrado. Ni en 1931, ni después. En 1944, confía a un amigo el siguiente ensueño luminoso:

> Espero que esta guerra sea el sepulcro de Dios como he querido anunciarlo en *Temblor de cielo,* libro que desgraciadamente no ha sido comprendido. «¿Oyes clavar el ataúd del cielo?», etc. etc. (...) Dios debe ser enterrado para siempre y su sitio en el mundo será ocupado por la Poesía.

45

Debemos llenar la vida de Poesía, infiltrar la Poesía en todos lados, hacer que el planeta Tierra esté cruzado de Poesía por todas partes. Que cuando nos miren de Marte vean largos canales de Poesía que atraviesan la Tierra[13].

Hoy, a medio siglo de distancia, y ríos de poesía después de la publicación de ambos libros, podemos apreciar cada uno por lo que representa tanto en la evolución literaria como en la más personal del escritor. *Altazor* y *Temblor de cielo,* dos polos de una gran metáfora juntando el arte con la vida, metáfora ahora potenciada en este volumen, juntando por fin estos libros de 1931.

---

[13] Carta inédita a Juan Larrea, 4 de junio de 1944; en el archivo de Larrea.

Esta edición

Los textos seguidos son los de las primeras ediciones: *Altazor* (Madrid, C.I.A.P., 1931), *Temblor de cielo* (Madrid, Plutarco, 1931). Los anticipos recogidos en el Apéndice siguen también la forma de su primera publicación en revistas de la época.

Bibliografía

La bibliografía huidobriana va aumentando en años recientes. Nicholas Hey se ha esforzado por registrar este material, primeramente en su «Bibliografía de y sobre Vicente Huidobro», *Revista Iberoamericana,* XLI, 91 (abril-junio de 1975), 293-353; y más recientemente en su «Adenda...», en la misma revista, XLV, 106-107 (enero-junio de 1979), 387-398.

A continuación, registro las primeras ediciones de Huidobro y detallo los libros sobre él junto con algunos de los artículos más importantes sobre *Altazor* y *Temblor de cielo.*

Libros de Huidobro

Ecos del alma (Santiago, Imprenta Chile, 1911).
La gruta del silencio (Santiago, Imprenta Universitaria, 1913).
Canciones en la noche (Santiago, Imprenta Chile, 1913).
Pasando y pasando (Santiago, Imprenta Chile, 1914).
Las pagodas ocultas (Santiago, Imprenta Universitaria, 1914).
Adán (Santiago, Imprenta Universitaria, 1916).
El espejo de agua (Buenos Aires, Orión, 1916).
Horizon Carré (París, Paul Birault, 1917).
Poemas árticos (Madrid, Imprenta Pueyo, 1918).
Ecuatorial (Madrid, Imprenta Pueyo, 1918).
Tour Eiffel (Madrid, sin pie de imprenta, 1918).
Hallali (Madrid, Ediciones Jesús López, 1918).
Saisons Choisies (París, La Cible, 1921).
Finis Britannia (París, Fiat Lux, 1923).
Automne Régulier (París, Librairie de France, 1925).

Tout à Coup (París, Au Sans Pareil, 1925).

Manifestes (París, Revue Mondiale, 1925).

Vientos contrarios (Santiago, Editorial Nascimento, 1926).

Mío Cid Campeador (Madrid, C.I.A.P., 1929).

Temblor de cielo (Madrid, Editorial Plutarco, 1931).

Altazor o el viaje en paracaídas (Madrid, C.I.A.P., 1931).

Tremblement de Ciel (París, l'As de Coeur, 1932).

Gilles de Raiz (París, Totem, 1932).

La próxima (Santiago, Walton, 1934).

Papá o el diario de Alicia Mir (Santiago, Walton, 1934).

Cagliostro (Santiago, Zig-Zag, 1934).

En la luna (Santiago, Ercilla, 1934).

Tres novelas ejemplares [en colaboración con Hans Arp], (Santiago, Zig-Zag, 1935).

Sátiro o el poder de las palabras (Santiago, Zig-Zag, 1939).

Ver y palpar (Santiago, Ercilla, 1941).

El ciudadano del olvido (Santiago, Ercilla, 1941).

Últimos poemas (Santiago, Talleres Gráficos Ahués, 1948).

Obras completas [recopilación de Braulio Arenas], (Santiago, Zig-Zag, 1964).

Obras completas [recopilación ampliada por Hugo Montes], (Santiago, Andrés Bello, 1976).

ESTUDIOS SOBRE HUIDOBRO

ALBORNOZ, Aurora de, «Vicente Huidobro: antipoeta y mago», *Triunfo,* Madrid, 9 de marzo de 1974.

ALONE (Hernán Díaz Arrieta), «*Temblor de cielo,* por Vicente Huidobro», *El Mercurio,* Santiago de Chile, 2 de agosto de 1942.

— «Los últimos libros de Vicente Huidobro», *La Nación,* Santiago de Chile, 23 de julio de 1931.

ANGUITA, Eduardo, «*Temblor de cielo*», *Flecha Roja,* Santiago de Chile, 20 de enero de 1963.

ARANGUIZ, Fernando, «En torno a *Altazor*», *Flecha Roja,* Santiago de Chile, 20 de enero de 1963.

ARENAS, Braulio, «Vicente Huidobro y el Creacionismo», en su edición de las *Obras completas de Vicente Huidobro,* Santiago, Zig-Zag, 1964.

BAJARLÍA, Juan-Jacobo, *La polémica Reverdy-Huidobro: Origen del Ultraísmo,* Buenos Aires, Devenir, 1964.

BARY, David, «*Altazor,* o la divina parodia», *Revista Hispánica Moderna,* Nueva York, XXVIII, 1 (enero de 1962), págs. 287-294.

— «El *Altazor* de Huidobro según un texto inédito de Juan Larrea», *Revista Iberoamericana,* Pittsburgh, XLIV, 102-103 (enero-junio de 1978), págs. 165-182.

— *Huidobro o la vocación poética,* Granada, Universidad de Granada, 1963.

— «Sobre los orígenes de *Altazor*», *Revista Iberoamericana,* Pittsburgh, XLV, 106-107 (enero-junio de 1979), págs. 111-116.

BODART, Roger, «*Altaigle,* de Vicente Huidobro», *Le Soir,* París, 10 de julio de 1957.

BORINSKY, Alicia, «*Altazor:* entierros y comienzos», *Revista Iberoamericana,* Pittsburgh, XL, 86 (enero-marzo de 1974), págs. 125-128.

CAMPOS, Augusto de, «Vicente Huidobro: fragmento de *Altazor*», *Jornal do Brasil,* Río de Janeiro, 3 de marzo de 1957.

CAMPOS, Jorge, «Presencia y revalorización de Huidobro», *Ínsula,* Madrid, febrero de 1976.

CAMURATI, Mireya, *Poesía y poética de Vicente Huidobro,* Buenos Aires, García Cambeiro, 1980.

CANSINOS-ASSÉNS, Rafael, «Vicente Huidobro», *La Correspondencia de España,* Madrid, 24 de noviembre de 1919.

CARACCIOLO-TREJO, Enrique, *La poesía de Vicente Huidobro y la vanguardia,* Madrid, Gredos, 1974.

CONCHA, Jaime, «*Altazor,* de Vicente Huidobro», *Anales de la Universidad de Chile,* Santiago de Chile, CXXIII, 133 (enero-marzo de 1965), págs. 113-136.

CORTANZE, Gérard de (trad.), *Altazor, Manifestes, Transformations,* París, Champ Libre, 1976.

COSTA, René de, *En pos de Huidobro,* Santiago, Universitaria, 1980.

— «La súbita resurrección de Vicente Huidobro», *El País,* Madrid, 28 de julio de 1976.

— (ed.), *Vicente Huidobro y el Creacionismo,* Madrid, Taurus, 1975.

— (ed.), «Vicente Huidobro y la vanguardia», número especial de la *Revista Iberoamericana,* Pittsburgh, XLV, 106-107 (enero-junio de 1979).

DIEGO, Gerardo, «Poesía y creacionismo de Vicente Huidobro», *Cuadernos Hispanoamericanos,* Madrid, LXXIV, 222 (junio de 1968), págs. 528-544.

FLORES, Ángel, «Vicente Huidobro, *Altazor», Revista Hispánica Moderna,* Nueva York, XIV (1948), pág. 291.

FORSTER, Merlin, «Vicente Huidobro's *Altazor:* a Re-evaluation», *Kentucky Romance Quarterly,* Lexington, XVII (1970), págs. 297-307.

GARCÍA PINTO, Magdalena, «El bilingüismo como factor creativo en *Altazor», Revista Iberoamericana,* Pittsburgh, XLV, 106-107 (enero-junio de 1979), págs. 117-127.

GOIÇ, Cedomil, «La comparación creacionista: canto III de *Altazor», Revista Iberoamericana,* Pittsburgh, XLV, 106-107 (enero-junio de 1979), págs. 129-139.

— *La poesía de Vicente Huidobro,* Santiago, Nueva Universidad, 1974.

— «Prólogo» a su edición de *Altazor,* Valparaíso, Universitarias, 1974.

HEY, Nicholas, «"Nonsense" en *Altazor», Revista Iberoamericana,* Pittsburgh, XLV, 106-107 (enero-junio de 1979), págs. 149-156.

HOLMES, Henry Alfred, *Vicente Huidobro and Creationism,* Nueva York, Columbia University Press, 1934.

LARREA, Juan, «Vicente Huidobro en vanguardia», *Revista Iberoamericana,* Pittsburgh, XLV, 106-107 (enero-junio de 1979), págs. 213-273.

MITRE, Eduardo, «La imagen en Vicente Huidobro», *Revista Iberoamericana,* Pittsburgh, XLII, 94 (enero-marzo de 1976), págs. 79-85.

MONTES, Hugo, «Prólogo» a su edición de las *Obras completas de Vicente Huidobro,* Santiago, Andrés Bello, 1976.

OSGOOD, Eugenia, «Two Journeys to the End of the Night: Tzara's *L'Homme Approximatif* and Vicente Huidobro's *Altazor», Dada/Surrealism,* 4 (1974), págs. 57-61.

OYARZÚN, Luis, «Vicente Huidobro: *Altazor», Pro-Arte,* Santiago de Chile, I, 52 (7 de julio de 1949), págs. 4-6.

PIZARRO, Ana, *Vicente Huidobro, un poeta ambivalente,* Concepción, Universidad de Concepción, 1971.

SÁNCHEZ, Luis Alberto, «Vicente Huidobro», *Revista Nacional de Cultura,* Caracas, XVIII, 115 (marzo-abril de 1956), págs. 45-54.

SCHWARTZ, Jorge, «Vicente Huidobro o la cosmópolis textualizada», *Eco,* Bogotá, 202 (agosto de 1978), págs. 1009-1035.

SCHWEITZER, Alan, «*Altazor,* de Huidobro: un poema en paracaídas», *Revista Chilena de Literatura,* Santiago de Chile, II, 4 (otoño de 1971), págs. 55-77.

SUCRE, Guillermo, «Huidobro: altura y caída», *Eco,* Bogotá, 151 (1972).

VALENTE, Ignacio, «Huidobro: *Altazor*», *El Mercurio,* Santiago de Chile, 23 de diciembre de 1973.

VERHESEN, Fernand (trad.), *Altaigle, ou l'Aventure de la Planète,* Hainaut, Tarasque, 1957.

VYDROVÁ, Hedvika, «Sobre la comicidad en la poesía de Vicente Huidobro», *Ibero-Americana Pragensia,* Praga, II (1968), págs. 41-50.

WOOD, Cecil, *The «Creacionismo» of Vicente Huidobro,* Frederickton, York Press, 1978.

YÚDICE, George, *Vicente Huidobro y la motivación del lenguaje,* Buenos Aires, Galerna, 1978.

YURKIEVICH, Saúl, «*Altazor* o la rebelión de la palabra», *Études Ibériques et Latino-Américaines,* París, P.U.F., 1968, págs. 119-127.

— «*Altazor:* la metáfora deseante», *Revista Iberoamericana,* Pittsburgh, XLV, 106-107 (enero-junio de 1979), págs. 141-147.

ZÁRATE, Armando, «Vicente Huidobro o el poder de las palabras», *Excelsior,* México, 2 y 9 de septiembre de 1962.

Altazor o el viaje en paracaídas: Poema en VII cantos (1919)[*]

* Reproducimos el texto de *Altazor* publicado originalmente por la Compañía Ibero-Americana de Publicaciones en Madrid en 1931. La fecha de 1919 indicada en el título seguramente se refiere a la concepción del proyecto.

VICENTE HUIDOBRO

ALTAZOR

POEMA

Con un retrato del autor por Pablo Picasso

COMPAÑIA IBERO AMERICANA DE PUBLICACIONES S. A.

Puerta del Sol, 15
MADRID

Ronda de la Universidad, 1
BARCELONA

Florida, 251
BUENOS AIRES

1931

PREFACIO*

Nací a los treinta y tres años, el día de la muerte de Cristo; nací en el Equinoccio, bajo las hortensias y los aeroplanos del calor.

Tenía yo un profundo mirar de pichón, de túnel y de automóvil sentimental. Lanzaba suspiros de acróbata.

Mi padre era ciego y sus manos eran más admirables que la noche.

Amo la noche, sombrero de todos los días.

La noche, la noche del día, del día al día siguiente.

Mi madre hablaba como la aurora y como los dirigibles que van a caer. Tenía cabellos color de bandera y ojos llenos de navíos lejanos.

Una tarde, cogí mi paracaídas y dije: «Entre una estrella y dos golondrinas.» He aquí la muerte que se acerca como la tierra al globo que cae.

Mi madre bordaba lágrimas desiertas en los primeros arco-iris.

Y ahora mi paracaídas cae de sueño en sueño por los espacios de la muerte.

El primer día encontré un pájaro desconocido que me dijo: «Si yo fuese dromedario no tendría sed. ¿Qué hora

_____

* Un anticipo del «Prefacio» (con algunas variantes) se publicó en 1925, en traducción del francés por Juan Emar (véase Apéndice).

es?» Bebió las gotas de rocío de mis cabellos, me lanzó tres miradas y media y se alejó diciendo: «Adiós» con su pañuelo soberbio.

Hacia las dos aquel día, encontré un precioso aeroplano, lleno de escamas y caracoles. Buscaba un rincón del cielo donde guarecerse de la lluvia.

Allá lejos, todos los barcos anclados, en la tinta de la aurora. De pronto, comenzaron a desprenderse, uno a uno, arrastrando como pabellón girones de aurora incontestable.

Junto con marcharse los últimos, la aurora desapareció tras algunas olas desmesuradamente infladas.

Entonces oí hablar al Creador, sin nombre, que es un simple hueco en el vacío, hermoso como un ombligo.

«Hice un gran ruido y este ruido formó el océano y las olas del océano.

»Este ruido irá siempre pegado a las olas del mar y las olas del mar irán siempre pegadas a él, como los sellos en las tarjetas postales.

»Después tejí un largo bramante de rayos luminosos para coser los días uno a uno; los días que tienen un oriente legítimo o reconstituído, pero indiscutible.

»Después tracé la geografía de la tierra y las líneas de la mano.

»Después bebí un poco de cognac (a causa de la hidrografía).

»Después creé la boca y los labios de la boca, para aprisionar las sonrisas equívocas y los dientes de la boca para vigilar las groserías que nos vienen a la boca.

»Creé la lengua de la boca que los hombres desviaron de su rol, haciéndola aprender a hablar... a ella, ella, la bella nadadora, desviada para siempre de su rol acuático y puramente acariciador.»

Mi paracaídas empezó a caer vertiginosamente. Tal es la fuerza de atracción de la muerte y del sepulcro abierto.

Podéis creerlo, la tumba tiene más poder que los ojos de la amada. La tumba abierta con todos sus imanes. Y esto te lo digo a ti, a ti que cuando sonríes haces pensar en el comienzo del mundo.

Mi paracaídas se enredó en una estrella apagada que seguía su órbita conbienzudamente, como si ignorara la inutilidad de sus esfuerzos.

Y aprovechando este reposo bien ganado, comencé a llenar con profundos pensamientos las casillas de mi tablero:

«Los verdaderos poemas son incendios. La poesía se propaga por todas partes, iluminando sus consumaciones con estremecimientos de placer o de agonía.

»Se debe escribir en una lengua que no sea materna.

»Los cuatro puntos cardinales son tres: el Sur y el Norte.

»Un poema es una cosa que será.

»Un poema es una cosa que nunca es, pero que debiera ser.

»Un poema es una cosa que nunca ha sido, que nunca podrá ser.

»Huye del sublime externo, si no quieres morir aplastado por el viento.

»Si yo no hiciera al menos una locura por año, me volvería loco.»

Tomo mi paracaídas, y del borde de mi estrella en marcha, me lanzo a la atmósfera del último suspiro.

Ruedo interminablemente sobre las rocas de los sueños, ruedo entre las nubes de la muerte.

Encuentro a la Virgen sentada en una rosa, y me dice: «Mira mis manos: son transparentes como las bombillas eléctricas. ¿Ves los filamentos de donde corre la sangre de mi luz intacta?

»Mira mi aureola. Tiene algunas saltaduras, lo que prueba mi ancianidad.

»Soy la Virgen, la Virgen sin mancha de tinta humana, la única que no lo sea a medias, y soy la capitana de las otras once mil que estaban en verdad demasiado restauradas.

»Hablo una lengua que llena los corazones según la ley de las nubes comunicantes.

»Digo siempre adiós, y me quedo.

»Ámame, hijo mío, pues adoro tu poesía y te enseñaré proezas aéreas.

»Tengo tanta necesidad de ternura, besa mis cabellos, los he lavado esta mañana en las nubes del alba y ahora quiero dormirme sobre el colchón de la neblina intermitente.

»Mis miradas son un alambre en el horizonte para el descanso de las golondrinas.

»Ámame.»

Me puse de rodillas en el espacio circular y la Virgen se elevó y vino a sentarse en mi paracaídas.

Me dormí y recité entonces mis más hermosos poemas.

Las llamas de mi poesía secaron los cabellos de la Virgen, que me dijo gracias y se alejó, sentada sobre su rosa blanca.

Y héme aquí solo, como el pequeño huérfano de los naufragios anónimos.

Ah, qué hermoso... qué hermoso.

Veo las montañas, los ríos, las selvas, el mar, los barcos, las flores y los caracoles.

Veo la noche y el día y el eje en que se juntan.

Ah, ah, soy Altazor, el gran poeta, sin caballo que coma alpiste, ni caliente su garganta con claro de luna, sino con mi pequeño paracaídas como un quitasol sobre los planetas.

De cada gota del sudor de mi frente hice nacer astros, que os dejo la tarea de bautizar como a botellas de vino.

Lo veo todo, tengo mi cerebro forjado en lenguas de profeta.

La montaña es el suspiro de Dios, ascendiendo en termómetro hinchado hasta tocar los pies de la amada.

Aquél que todo lo ha visto, que conoce todos los secretos sin ser Walt Whitman, pues jamás he tenido una barba blanca como las bellas enfermeras y los arroyos helados.

Aquél que oye durante la noche los martillos de los monederos falsos, que son solamente astrónomos activos.

Aquél que bebe el vaso caliente de la sabiduría después del diluvio obedeciendo a las palomas y que conoce la ruta de la fatiga, la estela hirviente que dejan los barcos.

Aquél que conoce los almacenes de recuerdos y de bellas estaciones olvidadas.

Él, el pastor de aeroplanos, el conductor de las noches extraviadas y de los ponientes amaestrados hacia los polos únicos.

Su queja es semejante a una red parpadeante de aerolitos sin testigo.

El día se levanta en su corazón y él baja los párpados para hacer la noche del reposo agrícola.

Lava sus manos en la mirada de Dios, y peina su cabellera como la luz y la cosecha de esas flacas espigas de la lluvia satisfecha.

Los gritos se alejan como un rebaño sobre las lomas cuando las estrellas duermen después de una noche de trabajo continuo.

El hermoso cazador frente al bebedero celeste para los pájaros sin corazón.

Sé triste tal cual las gacelas ante el infinito y los meteoros, tal cual los desiertos sin mirajes.

Hasta la llegada de una boca hinchada de besos para la vendimia del destierro.

Sé triste, pues ella te espera en un rincón de este año que pasa.

Está quizá al extremo de tu canción próxima y será bella como la cascada en libertad y rica como la línea ecuatorial.

Sé triste, más triste que la rosa, la bella jaula de nuestras miradas y de las abejas sin experiencia.

La vida es un viaje en paracaídas y no lo que tú quieres creer.

Vamos cayendo, cayendo de nuestro zenit a nuestro nadir y dejamos el aire manchado de sangre para que se envenenen los que vengan mañana a respirarlo.

Adentro de ti mismo, fuera de ti mismo, caerás del zenit al nadir porque ése es tu destino, tu miserable destino. Y mientras de más alto caigas, más alto será el rebote, más larga tu duración en la memoria de la piedra.

Hemos saltado del vientre de nuestra madre o del borde de una estrella y vamos cayendo.

Ah, mi paracaídas, la única rosa perfumada de la atmósfera, la rosa de la muerte, despeñada entre los astros de la muerte.

¿Habéis oído? Ése es el ruido siniestro de los pechos cerrados.

Abre la puerta de tu alma y sal a respirar al lado afuera. Puedes abrir con un suspiro la puerta que haya cerrado el huracán.

Hombre, he ahí tu paracaídas maravilloso como el vértigo.

Poeta, he ahí tu paracaídas, maravilloso como el imán del abismo.

Mago, he ahí tu paracaídas que una palabra tuya puede convertir en un parasubidas maravilloso como el relámpago que quisiera cegar al creador.

¿Qué esperas?

Mas he ahí el secreto del Tenebroso que olvidó sonreír.

Y el paracaídas aguarda amarrado a la puerta como el caballo de la fuga interminable.

CANTO I

Altazor ¿por qué perdiste tu primera serenidad?
¿Qué angel malo se paró en la puerta de tu sonrisa
Con la espada en la mano?
¿Quién sembró la angustia en las llanuras de tus ojos
    como el adorno de un dios?
¿Por qué un día de repente sentiste el terror de ser?   5
Y esa voz que te gritó vives y no te ves vivir
¿Quién hizo converger tus pensamientos al cruce de
    todos los vientos del dolor?
Se rompió el diamante de tus sueños en un mar de
    estupor
Estás perdido Altazor
Solo en medio del universo   10
Solo como una nota que florece en las alturas del
    vacío
No hay bien no hay mal ni verdad ni orden ni
    belleza
¿En dónde estás Altazor?
La nebulosa de la angustia pasa como un río
Y me arrastra según la ley de las atracciones   15

La nebulosa en olores solidificada huye su propia
    soledad
Siento un telescopio que me apunta como un re-
    vólver

La cola de un cometa me azota el rostro y pasa relleno
   de eternidad
Buscando infatigable un lago quieto en donde re-
   frescar su tarea ineludible

Altazor morirás Se secará tu voz y serás invisible   20
La Tierra seguirá girando sobre su órbita precisa
Temerosa de un traspié como el equilibrista sobre el
   alambre
que ata las miradas del pavor.
En vano buscas ojo enloquecido
No hay puerta de salida y el viento desplaza los
   planetas   25
Piensas que no importa caer eternamente si se logra
   escapar
¿No ves que vas cayendo ya?
Limpia tu cabeza de prejuicio y moral
Y si queriendo alzarte nada has alcanzado
Déjate caer sin parar tu caída sin miedo al fondo de
   la sombra
Sin miedo al enigma de ti mismo   30
Acaso encuentres una luz sin noche
Perdida en las grietas de los precipicios

Cae
   Cae eternamente
Cae al fondo del infinito   35
Cae al fondo del tiempo
Cae al fondo de ti mismo
Cae lo más bajo que se pueda caer
Cae sin vértigo
A través de todos los espacios y todas las edades   40
A través de todas las almas de todos los anhelos y
   todos los naufragios
Cae y quema al pasar los astros y los mares
Quema los ojos que te miran y los corazones que te
   aguardan

Quema el viento con tu voz
El viento que se enreda en tu voz   45
Y la noche que tiene frío en su gruta de huesos

Cae en infancia
Cae en vejez
Cae en lágrimas
Cae en risas   50
Cae en música sobre el universo
Cae de tu cabeza a tus pies
Cae de tus pies a tu cabeza
Cae del mar a la fuente
Cae al último abismo de silencio   55
Como el barco que se hunde apagando sus luces

Todo se acabó
El mar antropófago golpea la puerta de las rocas des-
     piadadas
Los perros ladran a las horas que se mueren
Y el cielo escucha el paso de las estrellas que se
     alejan   60
Estás solo
Y vas a la muerte derecho como un iceberg que se
     desprende del polo
Cae la noche buscando su corazón en el océano
La mirada se agranda como los torrentes
Y en tanto que las olas se dan vuelta   65
La luna niño de luz se escapa de alta mar
Mira este cielo lleno
Más rico que los arroyos de las minas
Cielo lleno de estrellas que esperan el bautismo
Todas esas estrellas salpicaduras de un astro de pie-
     dra lanzado en las aguas eternas   70
No saben lo que quieren ni si hay redes ocultas más
     allá
Ni qué mano lleva las riendas

Ni qué pecho sopla el viento sobre ellas
Ni saben si no hay mano y no hay pecho
Las montañas de pesca   75
Tienen la altura de mis deseos
Y yo arrojo fuera de la noche mis últimas angustias
Que los pájaros cantando dispersan por el mundo.

Reparad el motor del alba
En tanto me siento al borde de mis ojos   80
Para asistir a la entrada de las imágenes

Soy yo Altazor
Altazor
Encerrado en la jaula de su destino
En vano me aferro a los barrotes de la evasión posible   85
Una flor cierra el camino
Y se levantan como la estatua de las llamas.
La evasión imposible
Más débil marcho con mis ansias
Que un ejército sin luz en medio de emboscadas   90
Abrí los ojos en el siglo
En que moría el cristianismo.
Retorcido en su cruz agonizante
Ya va a dar el último suspiro
¿Y mañana qué pondremos en el sitio vacío?   95
Pondremos un alba o un crepúsculo
¿Y hay que poner algo acaso?
La corona de espinas
Chorreando sus últimas estrellas se marchita
Morirá el cristianismo que no ha resuelto ningún
    problema   100
Que sólo ha enseñado plegarias muertas.
Muere después de dos mil años de existencia
Un cañoneo enorme pone punto final a la era cristiana
El Cristo quiere morir acompañado de millones de
    almas

Hundirse con sus templos   105
Y atravesar la muerte con un cortejo inmenso
Mil aeroplanos saludan la nueva era
Ellos son los oráculos y las banderas

Hace seis meses solamente
Dejé la ecuatorial recién cortada   110
En la tumba guerrera del esclavo paciente
Corona de piedad sobre la estupidez humana.
Soy yo que estoy hablando en este año de 1919*
Es el invierno
Ya la Europa enterró todos sus muertos   115
Y un millar de lágrimas hacen una sola cruz de nieve
Mirad esas estepas que sacuden las manos
Millones de obreros han comprendido al fin
Y levantan al cielo sus banderas de aurora
Venid venid os esperamos porque sois la esperanza   120
La única esperanza
La última esperanza

Soy yo Altazor el doble de mí mismo
El que se mira obrar y se ríe del otro frente a frente
El que cayó de las alturas de su estrella   125
Y viajó veinticinco años
Colgado al paracaídas de sus propios prejuicios
Soy yo Altazor el del ansia infinita
Del hambre eterno y descorazonado
Carne labrada por arados de angustia   130
¿Cómo podré dormir mientras haya adentro tierras
    desconocidas?
Problemas
Misterios que se cuelgan a mi pecho

_____

   * Rafael Cansinos-Asséns anunció en *La Correspondencia de España*
del 24 de noviembre de 1919 que Huidobro «es portador de un libro
todavía inédito, *Voyage en Parachute*».

Estoy solo
La distancia que va de cuerpo a cuerpo 135
Es tan grande como la que hay de alma a alma
Solo
    Solo
        Solo
Estoy solo parado en la punta del año que agoniza 140
El universo se rompe en olas a mis pies
Los planetas giran en torno a mi cabeza
Y me despeinan al pasar con el viento que desplazan
Sin dar una respuesta que llene los abismos
Ni sentir este anhelo fabuloso que busca en la fauna
    del cielo 145
Un ser materno donde se duerma el corazón
Un lecho a la sombra del torbellino de enigmas
Una mano que acaricie los latidos de la fiebre.
Dios diluido en la nada y el todo
Dios todo y nada 150
Dios en las palabras y en los gestos
Dios mental
Dios aliento
Dios joven Dios viejo
Dios pútrido 155
        lejano y cerca
Dios amasado a mi congoja

Sigamos cultivando en el cerebro las tierras del error
Sigamos cultivando las tierras veraces en el pecho
Sigamos 160
Siempre igual como ayer mañana y luego y después
No
No puede ser. Cambiemos nuestra suerte
Quememos nuestra carne en los ojos del alba
Bebamos la tímida lucidez de la muerte 165
La lucidez polar de la muerte.
Canta el caos al caos que tiene pecho de hombre

Llora de eco en eco por todo el universo
Rodando con sus mitos entre alucinaciones
Angustia de vacío en alta fiebre   170
Amarga conciencia del vano sacrificio
De la experiencia inútil del fracaso celeste
Del ensayo perdido
Y aún después que el hombre haya desaparecido
Que hasta su recuerdo se queme en la hoguera del
      tiempo   175
Quedará un gusto a dolor en la atmósfera terrestre
Tantos siglos respirada por miserables pechos plañi-
      deros
Quedará en el espacio la sombra siniestra
De una lágrima inmensa
Y una voz perdida aullando desolada   180
Nada nada nada
No
No puede ser
Consumamos el placer
Agotemos la vida en la vida   185
Muera la muerte infiltrada de rapsodias langurosas
Infiltrada de pianos tenues y banderas cambiantes
      como crisálidas
Las rocas de la muerte se quejan al borde del mundo
El viento arrastra sus florescencias amargas
Y el desconsuelo de las primaveras que no pueden
      nacer.   190
Todas son trampas
                    trampas del espíritu
Transfusiones eléctricas de sueño y realidad
Oscuras lucideces de esta larga desesperación pe-
      trificada en soledad
Vivir vivir en las tinieblas   195
Entre cadenas de anhelos tiránicos collares de gemidos
Y un eterno viajar en los adentros de sí mismo.
Con dolor de límites constantes y vergüenza de

angel estropeado
Burla de un dios nocturno.
Rodar rodar rotas las antenas en medio del espacio   200
Entre mares alados y auroras estancadas

Yo estoy aquí de pie ante vosotros
En nombre de una idiota ley proclamadora
De la conservación de las especies
Inmunda ley   205
Villana ley arraigada a los sexos ingenuos.
Por esa ley primera trampa de la inconciencia
El hombre se desgarra
Y se rompe en aullidos mortales por todos los poros
    de su tierra
Yo estoy aquí de pie entre vosotros   210
Se me caen las ansias al vacío
Se me caen los gritos a la nada
Se me caen al caos las blasfemias
Perro del infinito trotando entre astros muertos
Perro lamiendo estrellas y recuerdos de estrella   215
Perro lamiendo tumbas
Quiero la eternidad como una paloma en mis manos

Todo ha de alejarse en la muerte esconderse en la
    muerte
Yo tú él nosotros vosotros ellos
Ayer hoy mañana   220
Pasto en las fauces del insaciable olvido
Pasto para la rumia eterna del caos incansable
Justicia ¿qué has hecho de mí Vicente Huidobro?
Se me cae el dolor de la lengua y las alas marchitas
Se me caen los dedos muertos uno a uno   225
¿Qué has hecho de mi voz cargada de pájaros en el
    atardecer
La voz que me dolía como sangre?
Dadme el infinito como una flor para mis manos

Seguir
No. Basta ya   230
Seguir cargado de mundos de países de ciudades
Muchedumbres aullidos
Cubierto de climas hemisferios ideas recuerdos
Entre telarañas de sepulcros y planetas conscientes
Seguir del dolor al dolor del enigma al enigma   235
Del dolor de la piedra al dolor de la planta
Porque todo es dolor
Dolor de batalla y miedo de no ser
Lazos de dolor atan la tierra al cielo las aguas a la
     tierra
Y los mundos galopan en órbitas de angustia   240
Pensando en la sorpresa
La latente emboscada en todos los rincones del espacio.
Me duelen los pies como ríos de piedra
¿Qué has hecho de mis pies?
¿Qué has hecho de esta bestia universal   245
De este animal errante?
Esta rata en delirio que trepa las montañas
Sobre un himno boreal o alarido de tierra
Sucio de tierra y llanto
                    de tierra y sangre   250
Azotado de espinas y los ojos en cruz.
La conciencia es amargura
La inteligencia es decepción
Sólo en las afueras de la vida
Se puede plantar una pequeña ilusión   255

Ojos ávidos de lágrimas hirviendo
Labios ávidos de mayores lamentos
Manos enloquecidas de palpar tinieblas
Buscando más tinieblas
Y esta amargura que se pasea por los huesos   260
Y este entierro en mi memoria
Este entierro que se alarga en mi memoria

71

Este largo entierro que atraviesa todos los días mi
    memoria
Seguir
No   265
Que se rompa el andamio de los huesos
Que se derrumben las vigas del cerebro
Y arrastre el huracán los trozos a la nada al otro lado
En donde el viento azota a Dios
En donde aún resuene mi violín gutural   270
Acompañando el piano póstumo del Juicio Final

Eres tú tú el ángel caído
La caída eterna sobre la muerte
La caída sin fin de muerte en muerte
Embruja el universo con tu voz   275
Aférrate a tu voz embrujador del mundo
Cantando como un ciego perdido en la eternidad
Anda en mi cerebro una gramática dolorosa y brutal
La matanza continua de conceptos internos
Y una última aventura de esperanzas celestes   280
Un desorden de estrellas imprudentes
Caídas de los sortilegios sin refugio
Todo lo que se esconde y nos incita con imanes fatales
Lo que se esconde en las frías regiones de lo invisible
O en la ardiente tempestad de nuestro cráneo   285

La eternidad se vuelve sendero de flor
Para el regreso de espectros y problemas
Para el mirage sediento de las nuevas hipótesis
Que rompen el espejo de la magia posible

    Liberación, ¡Oh! sí liberación de todo   290
De la propia memoria que nos posee
De las profundas vísceras que saben lo que saben
A causa de estas heridas que nos atan al fondo
Y nos quiebran los gritos de las alas

La magia y el ensueño liman los barrotes   295
La poesía llora en la punta del alma
Y acrece la inquietud mirando nuevos muros
Alzados de misterio en misterio
Entre minas de mixtificación que abren sus heridas
Con el ceremonial inagotable del alba conocida.   300
Todo en vano
Dadme la llave de los sueños cerrados
Dadme la llave del naufragio
Dadme una certeza de raíces en horizonte quieto
Un descubrimiento que no huya a cada paso   305
O dadme un bello naufragio verde
Un milagro que ilumine el fondo de nuestros mares
    íntimos
Como el barco que se hunde sin apagar sus luces.
Liberado de este trágico silencio entonces
En mi propia tempestad   310
Desafiaré al vacío
Sacudiré la nada con blasfemias y gritos
Hasta que caiga un rayo de castigo ansiado
Trayendo a mis tinieblas el clima del paraíso

    ¿Por qué soy prisionero de esta trágica busca?   315
¿Qué es lo que me llama y se esconde
Me sigue me grita por mi nombre
Y cuando vuelvo el rostro y alargo las manos de los
    ojos
Me echa encima una niebla tenaz como la noche de
    los astros ya muertos?

    Sufro me revuelco en la angustia   320
Sufro desde que era nebulosa
Y traigo desde entonces este dolor primordial en las
    células
Este peso en las alas
Esta piedra en el canto

Dolor de ser isla   325
Angustia subterránea
Angustia cósmica
Poliforme angustia anterior a mi vida
Y que la sigue como una marcha militar
Y que irá más allá   330
Hasta el otro lado de la periferia universal

Consciente
Inconsciente
Deforme
Sonora   335
Sonora como el fuego
El fuego que me quema el carbón interno y el alco-
    hol de los ojos

Soy una orquesta trágica
Un concepto trágico
Soy trágico como los versos que punzan en las sienes
    y no pueden salir   340
Arquitectura fúnebre
Matemática fatal y sin esperanza alguna
Capas superpuestas de dolor misterioso
Capas superpuestas de ansias mortales
Subsuelos de intuiciones fabulosas   345

Siglos siglos que vienen gimiendo en mis venas
Siglos que se balancean en mi canto
Que agonizan en mi voz
Porque mi voz es solo canto y sólo puede salir en
    canto
La cuna de mi lengua se meció en el vacío   350
Anterior a los tiempos
Y guardará eternamente el ritmo primero
El ritmo que hace nacer los mundos
Soy la voz del hombre que resuena en los cielos

Que reniega y maldice 355
Y pide cuentas de por qué y para qué

    Soy todo el hombre
El hombre herido por quién sabe quien
Por una flecha perdida del caos
Humano terreno desmesurado 360
Sí desmesurado y lo proclamo sin miedo
Desmesurado porque no soy burgués ni raza fatigada
Soy bárbaro tal vez
Desmesurado enfermo
Bárbaro limpio de rutinas y caminos marcados 365
No acepto vuestras sillas de seguridades cómodas
Soy el angel salvaje que cayó una mañana*
En vuestras plantaciones de preceptos.
Poeta
Anti poeta 370
Culto
Anti culto
Animal metafísico cargado de congojas
Animal espontáneo directo sangrando sus problemas
Solitario como una paradoja 375
Paradoja fatal
Flor de contradicciones bailando un fox-trot
Sobre el sepulcro de Dios
Sobre el bien y el mal
Soy un pecho que grita y un cerebro que sangra 380
Soy un temblor de tierra
Los sismógrafos señalan mi paso por el mundo

---

* Actitud de rebeldía en curiosa consonancia con una declaración de
Yeats: «After Stephane Mallarmé, after Paul Verlaine, after Gustave Mo-
reau, after Puvis de Chavannes, after our own verse, after all our subtle
colour and nervous rhythm, after the faint mixed tints of Conder, what
more is possible? After us the Savage God».

Crujen las ruedas de la tierra
Y voy andando a caballo en mi muerte
Voy pegado a mi muerte como un pájaro al cielo   385
Como una fecha en el árbol que crece
Como el nombre en la carta que envío
Voy pegado a mi muerte
Voy por la vida pegado a mi muerte
Apoyado en el bastón de mi esqueleto   390

El sol nace en mi ojo derecho y se pone en mi ojo
    izquierdo
En mi infancia una infancia ardiente como un al-
    cohol
Me sentaba en los caminos de la noche
A escuchar la elocuencia de las estrellas
Y la oratoria del árbol   395
Ahora la indiferencia nieva en la tarde de mi alma
Rómpanse en espigas las estrellas
Pártase la luna en mil espejos
Vuelva el árbol al nido de su almendra
Sólo quiero saber por qué   400
Por qué
Por qué
Soy protesta y araño el infinito con mis garras
Y grito y gimo con miserables gritos oceánicos
El eco de mi voz hace tronar el caos   405

Soy desmesurado cósmico
Las piedras las plantas las montañas
Me saludan Las abejas las ratas
Los leones y las águilas
Los astros los crepúsculos las albas   410
Los ríos y las selvas me preguntan
¿Qué tal cómo está Ud.?
Y mientras los astros y las olas tengan algo que decir
Será por mi boca que hablarán a los hombres

    Que Dios sea Dios   415
O Satán sea Dios
O ambos sean miedo, nocturna ignorancia
Lo mismo da
Que sea la vía láctea
O una procesión que asciende en pos de la verdad   420
Hoy me es igual
Traedme una hora que vivir
Traedme un amor pescado por la oreja
Y echadlo aquí a morir ante mis ojos
Que yo caiga por el mundo a toda máquina   425
Que yo corra por el universo a toda estrella
Que me hunda o me eleve
Lanzado sin piedad entre planetas y catástrofes
Señor Dios si tú existes es a mí a quien lo debes

Matad la horrible duda   430
Y la espantosa lucidez
Hombre con los ojos abiertos en la noche
Hasta el fin de los siglos
Enigma asco de los instintos contagiosos
Como las campanas de la exaltación   435
Pajarero de luces muertas que andan con pies de es-
    pectro
Con los pies indulgentes del arroyo
Que se llevan las nubes y cambia de país

En el tapiz del cielo se juega nuestra suerte
Allí donde mueren las horas   440
El pesado cortejo de las horas que golpean el mundo
Se juega nuestra alma
Y la suerte que se vuela todas las mañanas
Sobre las nubes con los ojos llenos de lágrimas
Sangra la herida de las últimas creencias   445
Cuando el fusil desconsolado del humano refugio
Descuelga los pájaros del cielo.

Mírate allí animal fraterno desnudo de nombre
Junto al abrevadero de tus límites propios
Bajo el alba benigna   450
Que zurce el tejido de las mareas
Mira a lo lejos viene la cadena de hombres
Saliendo de la usina de ansias iguales
Mordidos por la misma eternidad
Por el mismo huracán de vagabundas fascinaciones   455
Cada uno trae su palabra informe
Y los pies atados a su estrella propia
Las máquinas avanzan en la noche del diamante fatal
Avanza el desierto con sus olas sin vida
Pasan las montañas pasan los camellos   460
Como la historia de las guerras antiguas
Allá va la cadena de hombres entre fuegos ilusos
Hacia el párpado tumbal

Después de mi muerte un día
El mundo será pequeño a las gentes   465
Plantarán continentes sobre los mares
Se harán islas en el cielo
Habrá un gran puente de metal en torno de la tierra
Como los anillos construidos en Saturno
Habrá ciudades grandes como un país   470
Gigantescas ciudades del porvenir
En donde el hombre-hormiga será una cifra
Un número que se mueve y sufre y baila
(Un poco de amor a veces como un arpa que hace
    olvidar la vida)
Jardines de tomates y repollos   475
Los parques públicos plantados de árboles frutales
No hay carne que comer el planeta es estrecho
Y las máquinas mataron el último animal
Árboles frutales en todos los caminos
Lo aprovechable sólo lo aprovechable   480
Ah la hermosa vida que preparan las fábricas

La horrible indiferencia de los astros sonrientes
Refugio de la música
Que huye de las manos de los últimos ciegos
Angustia angustia de lo absoluto y de la perfección   485
Angustia desolada que atraviesa las órbitas per-
    didas
Contradictorios ritmos quiebran el corazón
En mi cabeza cada cabello piensa otra cosa

Un hastío invade el hueco que va del alba al poniente
Un bostezo color mundo y carne   490
Color espíritu avergonzado de irrealizables cosas
Lucha entre la piel y el sentimiento de una dignidad
    bebida y no otorgada.
Nostalgia de ser barro y piedra o Dios
Vértigo de la nada cayendo de sombra en sombra
Inutilidad de los esfuerzos fragilidad del sueño   495

Ángel expatriado de la cordura
¿Por qué hablas? ¿Quién te pide que hables?
Revienta pesimista mas revienta en silencio
Cómo se reirán los hombres de aquí a mil años
Hombre perro que aúllas a tu propia noche   500
Delincuente de tu alma
El hombre de mañana se burlará de ti
Y de tus gritos petrificados goteando estalactitas
¿Quién eres tú habitante de este diminuto cadáver
    estelar?
¿Qué son tus náuseas de infinito y tu ambición de
    eternidad?   505
Átomo desterrado de sí mismo con puertas y venta-
    nas de luto
¿De dónde vienes adónde vas?
¿Quién se preocupa de tu planeta?
Inquietud miserable
Despojo del desprecio que por ti sentiría   510

Un habitante de Betelgeuse
Veintinueve millones de veces más grande que tu sol

Hablo porque soy protesta insulto y mueca de dolor
Sólo creo en los climas de la pasión
Sólo deben hablar los que tienen el corazón clarivi-
    dente   515
La lengua a alta frecuencia
Buzos de la verdad y la mentira
Cansados de pasear sus linternas en los laberintos de
    la nada
En la cueva de alternos sentimientos
El dolor es lo único eterno   520
Y nadie podrá reír ante el vacío
¿Qué me importa la burla del hombre-hormiga
Ni la del habitante de otros astros más grandes?
Y yo no sé de ellos ni ellos saben de mí
Yo sé de mi vergüenza de la vida de mi asco celular   525
De la mentira abyecta de todo cuanto edifican los
    hombres
Los pedestales de aire de sus leyes e ideales

Dadme dadme pronto un llano de silencio
Un llano despoblado como los ojos de los muertos

¿Robinsón por qué volviste de tu isla?   530
De la isla de tus obras y tus sueños privados
La isla de ti mismo rica de tus actos
Sin leyes ni abdicación ni compromisos
Sin control de ojo intruso
Ni mano extraña que rompa los encantos   535
¿Robinson cómo es posible que volvieras de tu isla?

Malhaya el que mire con ojos de muerte
Malhaya el que vea el resorte que todo lo mueve
Una borrasca dentro de la risa

Una agonía de sol adentro de la risa   540
Matad al pesimista de pupila enlutada
Al que lleva un féretro en el cerebro
Todo es nuevo cuando se mira con ojos nuevos
Oigo una voz idiota entre algas de ilusión
Boca parasitaria aún de la esperanza   545

Idos lejos de aquí restos de playas moribundas
Mas si buscáis descubrimientos
Tierras irrealizables más allá de los cielos
Vegetante obsesión de musical congoja
Volvamos al silencio.   550
Restos de playas fúnebres
¿A qué buscáis el faro poniente
Vestido de su propia cabellera
Como la reina de los circos?
Volvamos al silencio   555
Al silencio de las palabras que vienen del silencio
Al silencio de las hostias donde se mueren los profetas
Con la llaga del flanco
Cauterizada por algún relámpago

Las palabras con fiebre y vértigo interno   560
Las palabras del poeta dan un marco celeste
Dan una enfermedad de nubes
Contagioso infinito de planetas errantes
Epidemia de rosas en la eternidad

Abrid la boca para recibir la hostia de la palabra he-
   rida   565
La hostia angustiada y ardiente que me nace no se
   sabe dónde
Que viene de más lejos que mi pecho
La catarata delicada de oro en libertad
Correr de río sin destino como aerolitos al azar
Una columna se alza en la punta de la voz   570

Y la noche se sienta en la columna
Yo poblaré para mil años los sueños de los hombres
Y os daré un poema lleno de corazón
En el cual me despedazaré por todos lados

Una lágrima caerá de unos ojos   575
Como algo enviado sobre la tierra
Cuando veas como una herida profetiza
Y reconozcas la carne desgraciada
El pájaro cegado en la catástrofe celeste
Encontrado en mi pecho solitario y sediento   580
En tanto yo me alejo tras los barcos magnéticos
Vagabundo como ellos
Y más triste que un cortejo de caballos sonámbulos

Hay palabras que tienen sombra de árbol
Otras que tienen atmósfera de astros   585
Hay vocablos que tienen fuego de rayos
Y que incendian donde caen
Otros que se congelan en la lengua y se rompen al
    salir
Como esos cristales alados y fatídicos
Hay palabras con imanes que atraen los tesoros del
    abismo   590
Otras que se descargan como vagones sobre el alma
Altazor desconfía de las palabras
Desconfía del ardid ceremonioso
Y de la poesía
Trampas   595
        Trampas de luz y cascadas lujosas
Trampas de perla y de lámpara acuática
Anda como los ciegos con sus ojos de piedra
Presintiendo el abismo a todo paso

Mas no temas de mí que mi lenguaje es otro   600
No trato de hacer feliz ni desgraciado a nadie

82

Ni descolgar banderas de los pechos
Ni dar anillos de planetas
Ni hacer satélites de mármol en torno a un talismán
    ajeno
Quiero darte una música de espíritu   605
Música mía de esta cítara plantada en mi cuerpo
Música que hace pensar en el crecimiento de los ár-
    boles*
Y estalla en luminarias adentro del sueño.
Yo hablo en nombre de un astro por nadie conocido
Hablo en una lengua mojada en mares no nacidos   610
Con una voz llena de eclipses y distancias
Solemne como un combate de estrellas o galeras le-
    janas
Una voz que se desfonda en la noche de las rocas
Una voz que da la vista a los ciegos atentos
Los ciegos escondidos al fondo de las casas   615
Como al fondo de sí mismos

Los veleros que parten a distribuir mi alma por el
    mundo
Volverán convertidos en pájaros
Una hermosa mañana alta de muchos metros
Alta como el árbol cuyo fruto es el sol   620
Una mañana frágil y rompible
A la hora en que las flores se lavan la cara
Y los últimos sueños huyen por las ventanas

Tanta exaltación para arrastrar los cielos a la lengua
El infinito se instala en el nido del pecho   625
Todo se vuelve presagio
                    ángel entonces

---

* En *Ver y palpar* (1941), Huidobro incluye «Un poema para hacer
crecer los árboles».

El cerebro se torna sistro revelador.
Y la hora huye despavorida por los ojos
Los pájaros grabados en el zenit no cantan   630
El día se suicida arrojándose al mar
Un barco vestido de luces se aleja tristemente
Y al fondo de las olas un pez escucha el paso de los
    hombres

Silencio la tierra va a dar a luz un árbol
La muerte se ha dormido en el cuello de un cisne   635
Y cada pluma tiene un distinto temblor
Ahora que Dios se sienta sobre la tempestad
Que pedazos de cielo caen y se enredan en la selva
Y que el tifón despeina las barbas del pirata
Ahora sacad la muerta al viento   640
Para que el viento abra sus ojos

Silencio la tierra va a dar a luz un árbol
Tengo cartas secretas en la caja del cráneo
Tengo un carbón doliente en el fondo del pecho
Y conduzco mi pecho a la boca   645
Y la boca a la puerta del sueño

El mundo se me entra por los ojos
Se me entra por las manos se me entra por los pies
Me entra por la boca y se me sale
En insectos celestes o nubes de palabras por los
    poros   650
Silencio la tierra va a dar a luz un árbol
Mis ojos en la gruta de la hipnosis
Mastican el universo que me atraviesa como un túnel
Un escalofrío de pájaro me sacude los hombros
Escalofrío de alas y olas interiores   655
Escalas de olas y alas en la sangre
Se rompen las amarras de las venas
Y se salta afuera de la carne

Se sale de las puertas de la tierra
Entre palomas espantadas   660
   Habitante de tu destino*
¿Por qué quieres salir de tu destino?
¿Por qué quieres romper los lazos de tu estrella
Y viajar solitario en los espacios
Y caer a través de tu cuerpo de tu zenit a tu nadir?   665

No quiero ligaduras de astro ni de viento
Ligaduras de luna buenas son para el mar y las mu-
   jeres
Dadme mis violines de vértigo insumiso
Mi libertad de música escapada
No hay peligro en la noche pequeña encrucijada   670
Ni enigma sobre el alma
La palabra electrizada de sangre y corazón
Es el gran paracaídas y el pararrayos de Dios

Habitante de tu destino
Pegado a tu camino como roca   675
Viene la hora del sortilegio resignado
Abre la mano de tu espíritu
El magnético dedo
En donde el anillo de la serenidad adolescente
Se posará cantando como el canario pródigo   680
Largos años ausente
Silencio
       Se oye el pulso del mundo como nunca
         pálido
La tierra acaba de alumbrar un árbol

---

   * Imagen que luego fundamenta un poema, «El pasajero de su destino», publicado primero en *Sur* (1933) y recopilado en *Últimos poemas*
(1948).

CANTO II

Mujer el mundo está amueblado por tus ojos
Se hace más alto el cielo en tu presencia
La tierra se prolonga de rosa en rosa
Y el aire se prolonga de paloma en paloma

Al irte dejas una estrella en tu sitio   5
Dejas caer tus luces como el barco que pasa
Mientras te sigue mi canto embrujado
Como una serpiente fiel y melancólica
Y tú vuelves la cabeza detrás de algún astro

¿Qué combate se libra en el espacio?   10
Esas lanzas de luz entre planetas
Reflejo de armaduras despiadadas
¿Qué estrella sanguinaria no quiere ceder el paso?
En dónde estás triste noctámbula
Dadora de infinito   15
Que pasea en el bosque de los sueños

Héme aquí perdido entre mares desiertos
Solo como la pluma que se cae de un pájaro en la
    noche
Héme aquí en una torre de frío
Abrigado del recuerdo de tus labios marítimos   20
Del recuerdo de tus complacencias y de tu cabellera

Luminosa y desatada como los ríos de montaña
¿Irías a ser ciega que Dios te dio esas manos?*
Te pregunto otra vez
El arco de tus cejas tendido para las armas de los
    ojos   25
En la ofensiva alada vencedora segura con orgullos
    de flor
Te hablan por mí las piedras aporreadas
Te hablan por mí las olas de pájaros sin cielo
Te habla por mí el color de los paisajes sin viento
Te habla por mí el rebaño de ovejas taciturnas   30
Dormido en tu memoria
Te habla por mí el arroyo descubierto
La yerba sobreviviente atada a la aventura
Aventura de luz y sangre de horizonte
Sin más abrigo que una flor que se apaga   35
Si hay un poco de viento

Las llanuras se pierden bajo tu gracia frágil
Se pierde el mundo bajo tu andar visible
Pues todo es artificio cuando tú te presentas
Con tu luz peligrosa   40
Inocente armonía sin fatiga ni olvido
Elemento de lágrima que rueda hacia adentro
Construido de miedo altivo y de silencio.
Haces dudar al tiempo
Y al cielo con instintos de infinito   45
Lejos de ti todo es mortal
Lanzas la agonía por la tierra humillada de noches
Sólo lo que piensa en ti tiene sabor a eternidad

---

* Estos versos y otros más adelante (85-86) recuerdan ciertas líneas de
Las pagodas ocultas, libro de 1914 dedicado a su esposa: «¿Irías a ser muda
que Dios te dio esos ojos?... ¿Irías a ser ciega que Dios te dio esas
manos?».

He aquí tu estrella que pasa
Con tu respiración de fatigas lejanas   50
Con tus gestos y tu modo de andar
Con el espacio magnetizado que te saluda
Que nos separa con leguas de noche

Sin embargo te advierto que estamos cosidos
A la misma estrella   55
Estamos cosidos por la misma música tendida
De uno a otro
Por la misma sombra gigante agitada como árbol
Seamos ese pedazo de cielo
Ese trozo en que pasa la aventura misteriosa   60
La aventura del planeta que estalla en pétalos de sueño

En vano tratarías de evadirte de mi voz
Y de saltar los muros de mis alabanzas
Estamos cosidos por la misma estrella
Estás atada al ruiseñor de las lunas   65
Que tiene un ritual sagrado en la garganta
Qué me importan los signos de la noche
Y la raíz y el eco funerario que tengan en mi pecho
Qué me importa el enigma luminoso
Los emblemas que alumbran el azar   70
Y esas islas que viajan por el caos sin destino a mis
    ojos
Qué me importa ese miedo de flor en el vacío
Qué me importa el nombre de la nada
El nombre del desierto infinito
O de la voluntad o del azar que representan   75
Y si en ese desierto cada estrella es un deseo de oasis
O banderas de presagio y de muerte

Tengo una atmósfera propia en tu aliento
La fabulosa seguridad de tu mirada con sus constela-
    ciones íntimas

Con su propio lenguaje de semilla 80
Tu frente luminosa como un anillo de Dios
Más firme que todo en la flora del cielo
Sin torbellinos de universo que se encabrita
Como un caballo a causa de su sombra en el aire

Te pregunto otra vez 85
¿Irías a ser muda que Dios te dio esos ojos?

Tengo esa voz tuya para toda defensa
Esa voz que sale de ti en latidos de corazón
Esa voz en que cae la eternidad
Y se rompe en pedazos de esferas fosforecentes 90
¿Qué sería la vida si no hubieras nacido?
Un cometa sin manto muriéndose de frío

Te hallé como una lágrima en un libro olvidado
Con tu nombre sensible desde antes en mi pecho
Tu nombre hecho del ruido de palomas que se
    vuelan 95
Traes en ti el recuerdo de otras vidas más altas
De un Dios encontrado en alguna parte
Y al fondo de ti misma recuerdas que eras tú
El pájaro de antaño en la clave del poeta

Sueño en un sueño sumergido 100
La cabellera que se ata hace el día
La cabellera al desatarse hace la noche
La vida se contempla en el olvido
Sólo viven tus ojos en el mundo
El único sistema planetario sin fatiga 105
Serena piel anclada en las alturas
Ajena a toda red y estratagema
En su fuerza de luz ensimismada
Detrás de ti la vida siente miedo
Porque eres la profundidad de toda cosa 110

El mundo deviene majestuoso cuando pasas
Se oyen caer lágrimas del cielo
Y borras en el alma adormecida
La amargura de ser vivo
Se hace liviano el orbe en las espaldas   115
Mi alegría es oír el ruido del viento en tus cabellos
(Reconozco ese ruido desde lejos)
Cuando las barcas zozobran y el río arrastra troncos
   de árbol
Eres una lámpara de carne en la tormenta
Con los cabellos a todo viento   120
Tus cabellos donde el sol va a buscar sus mejores
   sueños
Mi alegría es mirarte solitaria en el diván del mundo
Como la mano de una princesa soñolienta
Con tus ojos que evocan un piano de olores
Una bebida de paroxismos   125
Una flor que está dejando de perfumar
Tus ojos hipnotizan la soledad
Como la rueda que sigue girando después de la ca-
   tástrofe

Mi alegría es mirarte cuando escuchas
Ese rayo de luz que camina hacia el fondo del agua   130
Y te quedas suspensa largo rato
Tantas estrellas pasadas por el harnero del mar
Nada tiene entonces semejante emoción
Ni un mástil pidiendo viento
Ni un aeroplano ciego palpando el infinito   135
Ni la paloma demacrada dormida sobre un lamento
Ni el arco-iris con las alas selladas
Más bello que la parábola de un verso
La parábola tendida en puente nocturno de alma a alma

Nacida en todos los sitios donde pongo los ojos   140
Con la cabeza levantada

Y todo el cabello al viento
Eres más hermosa que el relincho de un potro en la
    montaña
Que la sirena de un barco que deja escapar toda su
    alma
Que un faro en la neblina buscando a quien salvar   145
Eres más hermosa que la golondrina atravesada por
    el viento
Eres el ruido del mar en verano
Eres el ruido de una calle populosa llena de admira-
    ción

Mi gloria está en tus ojos
Vestida del lujo de tus ojos y de su brillo interno   150
Estoy sentado en el rincón más sensible de tu mirada
Bajo el silencio estático de inmóviles pestañas.
Viene saliendo un augurio del fondo de tus ojos
Y un viento de océano ondula tus pupilas

Nada se compara a esa leyenda de semillas que deja
    tu presencia   155
A esa voz que busca un astro muerto que volver a la
    vida
Tu voz hace un imperio en el espacio
Y esa mano que se levanta en ti como si fuera a col-
    gar soles en el aire
Y ese mirar que escribe mundos en el infinito
Y esa cabeza que se dobla para escuchar un murmu-
    llo en la eternidad   160
Y ese pie que es la fiesta de los caminos encadenados
Y esos párpados donde vienen a vararse las centellas
    del éter
Y ese beso que hincha la proa de tus labios
Y esa sonrisa como un estandarte al frente de tu vida
Y ese secreto que dirige las mareas de tu pecho   165
Dormido a la sombra de tus senos

Si tú murieras
Las estrellas a pesar de su lámpara encendida
Perderían el camino
¿Qué sería del universo?   170

CANTO III

Romper las ligaduras de las venas
Los lazos de la respiración y las cadenas

De los ojos senderos de horizontes
Flor proyectada en cielos uniformes

El alma pavimentada de recuerdos   5
Como estrellas talladas por el viento

El mar es un tejado de botellas
Que en la memoria del marino suena

Cielo es aquella larga cabellera intacta
Tejida entre manos de aeronauta   10

Y el avión trae un lenguaje diferente
Para la boca de los cielos de siempre

Cadenas de miradas nos atan a la tierra
Romped romped tantas cadenas

Vuela el primer hombre a iluminar el día   15
El espacio se quiebra en una herida

Y devuelve la bala al asesino
Eternamente atado al infinito

Cortad todas las amarras
De río mar o de montaña   20

De espíritu y recuerdo
De ley agonizante y sueño enfermo

Es el mundo que torna y sigue y gira
Es una última pupila

Mañana el campo   25
Seguirá los galopes del caballo

La flor se comerá a la abeja
Porque el hangar será colmena

El arco-iris se hará pájaro
Y volará a su nido cantando   30

Los cuervos se harán planetas
Y tendrán plumas de hierba

Hojas serán las plumas entibiadas
Que caerán de sus gargantas

Las miradas serán ríos   35
Y los ríos heridas en las piernas del vacío

Conducirá el rebaño a su pastor
Para que duerma el día cansado como avión

Y el árbol se posará sobre la tórtola
Mientras las nubes se hacen roca   40

Porque todo es como es en cada ojo
Dinastía astrológica y efímera
Cayendo de universo en universo

Manicura de la lengua es el poeta
Mas no el mago que apaga y enciende   45
Palabras estelares y cerezas de adioses vagabundos
Muy lejos de las manos de la tierra
Y todo lo que dice es por él inventado
Cosas que pasan fuera del mundo cotidiano
Matemos al poeta que nos tiene saturados   50

Poesía aún y poesía poesía
Poética poesía poesía
Poesía poética de poético poeta
Poesía
Demasiada poesía   55
Desde el arco-iris hasta el culo pianista de la ve-
   cina
Basta señora poesía bambina
Y todavía tiene barrotes en los ojos
El juego es juego y no plegaria infatigable
Sonrisa o risa y no lamparillas de pupila   60
Que ruedan de la aflicción hasta el océano
Sonrisa y habladurías de estrella tejedora
Sonrisa del cerebro que evoca estrellas muertas
En la mesa mediúmnica de sus irradiaciones

Basta señora arpa de las bellas imágenes   65
De los furtivos comos iluminados
Otra cosa otra cosa buscamos
Sabemos posar un beso como una mirada
Plantar miradas como árboles
Enjaular árboles como pájaros   70
Regar pájaros como heliotropos
Tocar un heliotropo como una música
Vaciar una música como un saco
Degollar un saco como un pingüino
Cultivar pingüinos como viñedos   75
Ordeñar un viñedo como una vaca

Desarbolar vacas como veleros
Peinar un velero como un cometa
Desembarcar cometas como turistas
Embrujar turistas como serpientes   80
Cosechar serpientes como almendras
Desnudar una almendra como un atleta
Leñar atletas como cipreses
Iluminar cipreses como faroles
Anidar faroles como alondras   85
Exhalar alondras como suspiros
Bordar suspiros como sedas
Derramar sedas como ríos
Tremolar un río como una bandera
Desplumar una bandera como un gallo   90
Apagar un gallo como un incendio
Bogar en incendios como en mares
Segar mares como trigales
Repicar trigales como campanas
Desangrar campanas como corderos   95
Dibujar corderos como sonrisas
Embotellar sonrisas como licores
Engastar licores como alhajas
Electrizar alhajas como crepúsculos
Tripular crepúsculos como navíos   100
Descalzar un navío como un rey
Colgar reyes como auroras
Crucificar auroras como profetas
Etc. etc. etc.
Basta señor violín hundido en una ola ola   105
Cotidiana ola de religión miseria
De sueño en sueño posesión de pedrerías

Después del corazón comiendo rosas
Y de las noches del rubí perfecto
El nuevo atleta salta sobre la pista mágica   110
Jugando con magnéticas palabras

Caldeadas como la tierra cuando va a salir un volcán
Lanzando sortilegios de sus frases pájaro

Agoniza el último poeta
Tañen las campanas de los continentes   115
Muere la luna con su noche a cuestas
El sol se saca del bolsillo el día
Abre los ojos el nuevo paisaje solemne
Y pasa desde la tierra a las constelaciones
El entierro de la poesía   120

Todas las lenguas están muertas
Muertas en manos del vecino trágico
Hay que resucitar las lenguas
Con sonoras risas
Con vagones de carcajadas   125
Con cortacircuitos en las frases
Y cataclismo en la gramática
Levántate y anda
Estira las piernas anquilosis salta
Fuegos de risa para el lenguaje tiritando de frío   130
Gimnasia astral para las lenguas entumecidas
Levántate y anda
Vive vive como un balón de fútbol
Estalla en la boca de diamantes motocicleta
En ebriedad de sus luciérnagas   135
Vértigo sí de su liberación
Una bella locura en la vida de la palabra
Una bella locura en la zona del lenguaje
Aventura forrada de desdenes tangibles
Aventura de la lengua entre dos naufragios   140
Catástrofe preciosa en los rieles del verso

Y puesto que debemos vivir y no nos suicidamos
Mientras vivamos juguemos
El simple sport de los vocablos

De la pura palabra y nada más   145
Sin imagen limpia de joyas
(Las palabras tienen demasiada carga)
Un ritual de vocablos sin sombra
Juego de ángel allá en el infinito
Palabra por palabra   150
Con luz propia de astro que un choque vuelve vivo
Saltan chispas del choque y mientras más violento
Más grande es la explosión
Pasión del juego en el espacio
Sin alas de luna y pretensión   155
Combate singular entre el pecho y el cielo
Total desprendimiento al fin de voz de carne
Eco de luz que sangra aire sobre el aire

Después nada nada
Rumor aliento de frase sin palabra   160

CANTO IV

No hay tiempo que perder
Enfermera de sombras y distancias
Yo vuelvo a ti huyendo del reino incalculable
De ángeles prohibidos por el amanecer

Detrás de tu secreto te escondías   5
En sonrisa de párpados y de aire
Yo levanté la capa de tu risa
Y corté las sombras que tenían
Tus signos de distancia señalados

Tu sueño se dormirá en mis manos   10
Marcado de las líneas de mi destino inseparable
En el pecho de un mismo pájaro
Que se consume en el fuego de su canto
De su canto llorando al tiempo
Porque se escurre entre los dedos   15

Sabes que tu mirada adorna los veleros
De las noches mecidas en la pesca
Sabes que tu mirada forma el nudo de las estrellas
Y el nudo del canto que saldrá del pecho
Tu mirada que lleva la palabra al corazón   20
Y a la boca embrujada del ruiseñor

No hay tiempo que perder
A la hora del cuerpo en el naufragio ambiguo
Yo mido paso a paso el infinito
El mar quiere vencer   25
Y por lo tanto no hay tiempo que perder
Entonces
          Ah entonces
Más allá del último horizonte
Se verá lo que hay que ver   30

Por eso hay que cuidar el ojo precioso regalo del ce-
    rebro
El ojo anclado al medio de los mundos
Donde los buques se vienen a varar
¿Mas si se enferma el ojo qué he de hacer?
¿Qué haremos si han hecho mal de ojo al ojo?   35
Al ojo avizor afiebrado como faro de lince
La geografía del ojo digo es la más complicada
El sondaje es difícil a causa de las olas
Los tumultos que pasan
La apretura continua   40
Las plazas y avenidas populosas
Las procesiones con sus estandartes
Bajando por el iris hasta perderse
El rajah en su elefante de tapices
La cacería de leones en selvas de pestañas seculares 45
Las migraciones de pájaros friolentos hacia otras re-
    tinas
Yo amo mis ojos y tus ojos y los ojos
Los ojos con su propia combustión
Los ojos que bailan al son de una música interna
Y se abren como puertas sobre el crimen   50
Y salen de su órbita y se van como cometas sangrien-
    tos al azar
Los ojos que se clavan y dejan heridas lentas a cica-
    trizar

102

Entonces no se pegan los ojos como cartas
Y son cascadas de amor inagotables
Y se cambian día y noche   55
Ojo por ojo.
Ojo por ojo como hostia por hostia
Ojo árbol
Ojo pájaro
Ojo río   60
Ojo montaña
Ojo mar
Ojo tierra
Ojo luna
Ojo cielo   65
Ojo silencio
Ojo soledad por ojo ausencia
Ojo dolor por ojo risa.
No hay tiempo que perder
Y si viene el instante prosaico   70
Siga el barco que es acaso el mejor.
Ahora que me siento y me pongo a escribir
Qué hace la golondrina que vi esta mañana
¿Firmando cartas en el vacío?
Cuando muevo el pie izquierdo   75
¿Qué hace con su pie el gran mandarín chino?
Cuando enciendo un cigarro
¿Qué hacen los otros cigarros que vienen en el
    barco?
¿En dónde está la planta del fuego futuro?
Y si yo levanto los ojos ahora mismo   80
¿Qué hace con sus ojos el explorador de pie en el
    polo?
Yo estoy aquí
¿En dónde están los otros?
Eco de gesto en gesto
Cadena electrizada o sin correspondencias   85
Interrumpido el ritmo solitario

¿Quiénes se están muriendo y quiénes nacen
Mientras mi pluma corre en el papel?

No hay tiempo que perder
Levántate alegría   90
Y pasa de poro en poro la aguja de tus sedas
Darse prisa darse prisa
Vaya por los globos y los cocodrilos mojados*
Préstame mujer tus ojos de verano
Yo lamo las nubes salpicadas cuando el otoño sigue
    la carreta del asno   95
Un periscopio en ascensión debate el pudor del in-
    vierno
Bajo la perspectiva del volantín azulado por el infinito
Color joven de pájaros al ciento por ciento
Tal vez era un amor mirado de palomas desgraciadas
O el guante importuno del atentado que va a nacer
    de una mujer o una amapola   100
El florero de mirlos que se besan volando
Bravo pantorrilla de noche de la más novia que se
    esconde en su piel de flor

Rosa al revés rosa otra vez y rosa y rosa
Aunque no quiera el carcelero
Río revuelto para la pesca milagrosa   105

Noche préstame tu mujer con pantorrillas de florero
    de amapolas jóvenes**
Mojadas de color como el asno pequeño desgraciado
La novia sin flores ni globos de pájaros
El invierno endurece las palomas presentes

---

  * Los versos 93-102 se publicaron (con variantes) en 1926, entonces
como poema independiente (véase Apéndice).
  ** Una variante de los versos 106-114 se publicó en 1926 bajo el título de «Venus» (véase Apéndice).

Mira la carreta y el atentado de cocodrilos azulados   110
Que son periscopios en las nubes del pudor
Novia en ascensión al ciento por ciento celeste
Lame la perspectiva que ha de nacer salpicada de vo-
   lantines
Y de los guantes agradables del otoño que se debate
   en la piel del amor.

No hay tiempo que perder   115
La indecisión en barca para los viajes
Es un presente de las crueldades de la noche
Porque el hombre malo o la mujer severa
No pueden nada contra la mortalidad de la casa
Ni la falta de orden   120
Que sea oro o enfermedad
Noble sorpresa o espión doméstico para victoria ex-
   tranjera
La disputa intestina produce la justa desconfianza
De los párpados lavados en la prisión
Las penas tendientes a su fin son travesaños antes
   del matrimonio   125
Murmuraciones de cascada sin protección
Las disensiones militares y todos los obstáculos
A causa de la declaración de esa mujer rubia
Que critica la pérdida de la expedición
O la utilidad extrema de la justicia   130
Como una separación de amor sin porvenir
La prudencia llora los falsos extravíos de la locura
   naciente
Que ignora completamente las satisfacciones de la
   moderación

No hay tiempo que perder
Para hablar de la clausura de la tierra y la llegada del
día agricultor a la nada amante de lotería sin proceso
ni niño para enfermedad pues el dolor imprevisto

que sale de los cruzamientos de la espera en este
campo de la sinceridad nueva es un poco negro
como el eclesiástico de las empresas para la miseria o
el traidor en retardo sobre el agua que busca apoyo
en la unión o la disensión sin reposo de la ignorancia
pero la carta viene sobre la ruta y la mujer colocada
en el incidente del duelo conoce el buen éxito de la
preñez y la inacción del deseo pasado da la ventaja al
pueblo que tiene inclinación por el sacerdote pues él
realza de la caída y se hace más íntimo que el extra-
vío de la doncella rubia o la amistad de la locura   135

No hay tiempo que perder
Todo esto es triste como el niño que está quedándo-
    se huérfano
O como la letra que cae al medio del ojo
O como la muerte del perro de un ciego
O como el río que se estira en su lecho de agonizante 140
Todo esto es hermoso como mirar el amor de los
    gorriones
Tres horas después del atentado celeste
O como oír dos pájaros anónimos que cantan a la
    misma azucena
O como la cabeza de la serpiente donde sueña el opio
O como el rubí nacido de los deseos de una mujer   145
Y como el mar que no se sabe si ríe o llora
Y como los colores que caen del cerebro de las mari-
    posas
Y como la mina de oro de las abejas
Las abejas satélites del nardo como las gaviotas del barco
Las abejas que llevan la semilla en su interior   150
Y van más perfumadas que pañuelos de narices
Aunque no son pájaros

Pues no dejan sus iniciales en el cielo
En la lejanía del cielo besada por los ojos

Y al terminar su viaje vomitan el alma de los pétalos   155
Como las gaviotas vomitan el horizonte
Y las golondrinas el verano
No hay tiempo que perder
Ya viene la golondrina monotémpora
Trae un acento antípoda de lejanías que se acercan   160
Viene gondoleando la golondrina

Al horitaña de la montazonte*
La violondrina y el goloncelo
Descolgada esta mañana de la lunala
Se acerca a todo galope   165
Ya viene viene la golondrina
Ya viene viene la golonfina
Ya viene la golontrina
Ya viene la goloncima
Viene la golonchina   170
Viene la golonclima
Ya viene la golonrima
Ya viene la golonrisa
La golonniña
La golongira   175
La golonlira
La golonbrisa
La golonchilla
Ya viene la golondía
Y la noche encoge sus uñas como el leopardo   180
Ya viene la golontrina
Que tiene un nido en cada uno de los dos calores
Como yo lo tengo en los cuatro horizontes
Viene la golonrisa
Y las olas se levantan en la punta de los pies   185

---

* Un anticipo de esta secuencia se publicó en francés, en 1930 (véase
Apéndice).

Viene la golonniña
Y siente un vahído la cabeza de la montaña
Viene la golongira
Y el viento se hace parábola de sílfides en orgía
Se llenan de notas los hilos telefónicos   190
Se duerme el ocaso con la cabeza escondida
Y el árbol con el pulso afiebrado

Pero el cielo prefiere el rodoñol
Su niño querido el rorreñol
Su flor de alegría el romiñol   195
Su piel de lágrima el rofañol
Su garganta nocturna el rosolñol
El rolañol
El rosiñol

No hay tiempo que perder   200
El buque tiene los días contados
Por los hoyos peligrosos que abren las estrellas en el mar
Puede caerse al fuego central
El fuego central con sus banderas que estallan de
    cuando en cuando
Los elfos exacerbados soplan las semillas y me in-
    terrogan   205
Pero yo sólo oigo las notas del alhelí
Cuando alguien aprieta los pedales del viento
Y se presenta el huracán
El río corre como un perro azotado
Corre que corre a esconderse en el mar   210
Y pasa el rebaño que devasta mis nervios
Entonces yo sólo digo
Que no compro estrellas en la nochería
Y tampoco olas nuevas en la marería
Prefiero escuchar las notas del alhelí   215
Junto a la cascada que cuenta sus monedas
O el bromceo del aeroplano en la punta del cielo

O mirar el ojo del tigre donde sueña una mujer desnuda
Porque si no la palabra que viene de tan lejos
Se quiebra entre los labios   220

Yo no tengo orgullos de campanario
Ni tengo ningún odio petrificado
Ni grito como un sombrero afectuoso que viene sa-
    liendo del desierto
Digo solamente
No hay tiempo que perder   225
El vizir con lenguaje de pájaro
Nos habla largo largo como un sendero
Las caravanas se alejan sobre su voz
Y los barcos hacia horizontes imprecisos
Él devuelve el oriente sobre las almas   230
Que toman un oriente de perla
Y se llenan de fósforos a cada paso
De su boca brota una selva
De su selva brota un astro
Del astro cae una montaña sobre la noche   235
De la noche cae otra noche
Sobre la noche del vacío
La noche lejos tan lejos que parece una muerta que
    se llevan
Adiós hay que decir adiós
Adiós hay que decir a Dios   240
Entonces el huracán destruído por la luz de la lengua
Se deshace en arpegios circulares
Y aparece la luna seguida de algunas gaviotas
Y sobre el camino
Un caballo que se va agrandando a medida que se
    aleja   245

Darse prisa darse prisa
Están prontas las semillas
Esperando una orden para florecer

109

Paciencia ya luego crecerán
Y se irán por los senderos de la savia   250
Por su escalera personal
Un momento de descanso
Antes del viaje al cielo del árbol
El árbol tiene miedo de alejarse demasiado
Tiene miedo y vuelve los ojos angustiados   255
La noche lo hace temblar
La noche y su licantropía
La noche que afila sus garras en el viento
Y aguza los oídos de la selva
Tiene miedo digo el árbol tiene miedo   260
De alejarse de la tierra

No hay tiempo que perder
Los icebergs que flotan en los ojos de los muertos
Conocen su camino
Ciego sería el que llorara   265
Las tinieblas del féretro sin límites
Las esperanzas abolidas
Los tormentos cambiados en inscripción de cemen-
    terio
Aquí yace Carlota ojos marítimos
Se le rompió un satélite   270
Aquí yace Matías en su corazón dos escualos se ba-
    tían
Aquí yace Marcelo mar y cielo en el mismo violon-
    celo
Aquí yace Susana cansada de pelear contra el olvido
Aquí yace Teresa ésa es la tierra que araron sus ojos
    hoy ocupada por su cuerpo
Aquí yace Angélica anclada en el puerto de sus
    brazos   275
Aquí yace Rosario río de rosas hasta el infinito
Aquí yace Raimundo raíces del mundo son sus venas
Aquí yace Clarisa clara risa enclaustrada en la luz

Aquí yace Alejandro antro alejado ala adentro
Aquí yace Gabriela rotos los diques sube en las
savias hasta el sueño esperando la resurrección   280
Aquí yace Altazor azor fulminado por la altura
Aquí yace Vicente antipoeta y mago
Ciego sería el que llorara
Ciego como el cometa que va con su bastón
Y su neblina de ánimas que lo siguen   285
Obediente al instinto de sus sentidos
Sin hacer caso de los meteoros que apedrean desde
    lejos
Y viven en colonias según la temporada
El meteoro insolente cruza por el cielo
El meteplata el metecobre   290
El metepiedras en el infinito
Meteópalos en la mirada
Cuidado aviador con las estrellas
Cuidado con la aurora
Que el aeronauta no sea el auricida   295
Nunca un cielo tuvo tantos caminos como éste
Ni fue tan peligroso
La estrella errante me trae el saludo de un amigo
    muerto hace diez años
Darse prisa darse prisa
Los planetas maduran en el planetal   300
Mis ojos han visto la raíz de los pájaros
El más allá de los nenúfares
Y el ante acá de las mariposas
¿Oyes el ruido que hacen las mandolinas al morir?
Estoy perdido   305
No hay más que capitular
Ante la guerra sin cuartel
Y la emboscada nocturna de estos astros

La eternidad quiere vencer
Y por lo tanto no hay tiempo que perder   310

Entonces
      Ah entonces
Más allá del último horizonte
Se verá lo que hay que ver
La ciudad   315
Debajo de las luces y las ropas colgadas
El jugador aéreo
Desnudo
Frágil
La noche al fondo del océano   320
Tierna ahogada
La muerte ciega
              Y su esplendor
Y el sonido y el sonido
Espacio la lumbrera   325
      A estribor
      Adormecido
En cruz
      en luz
La tierra y su cielo   330
El cielo y su tierra
Selva noche
Y río día por el universo
El pájaro tralalí canta en las ramas de mi cerebro
Porque encontró la clave del eterfinifrete   335
Rotundo como el unipacio y el espaverso
Uiu uiui
Tralalí tralalá
Aia ai ai aaia i i

CANTO V

Aquí comienza el campo inexplorado
Redondo a causa de los ojos que lo miran
Y profundo a causa de mi propio corazón
Lleno de zafiros probables
De manos de sonámbulos   5
De entierros aéreos
Conmovedores como el sueño de los enanos
O el ramo cortado en el infinito
Que trae la gaviota para sus hijos

Hay un espacio despoblado   10
Que es preciso poblar
De miradas con semillas abiertas
De voces bajadas de la eternidad
De juegos nocturnos y aerolitos de violín
De ruido de rebaños sin permiso   15
Escapados del cometa que iba a chocar
¿Conoces tú la fuente milagrosa
Que devuelve a la vida los náufragos de antaño?
¿Conoces tú la flor que se llama voz de monja
Que crece hacia abajo y se abre al fondo de la tierra? 20
¿Has visto al niño que cantaba
Sentado en una lágrima
El niño que cantaba al lado de un suspiro
O de un ladrido de perro inconsolable?

¿Has visto al arco-iris sin colores   25
Terriblemente envejecido
Que vuelve del tiempo de los faraones?

El miedo cambia la forma de las flores
Que esperan temblando el juicio final
Una a una las estrellas se arrojan por el balcón   30
El mar se está durmiendo detrás de un árbol
Con su calma habitual
Porque sabe desde los tiempos bíblicos
Que el regreso es desconocido en la estrella polar

Ningún navegante ha encontrado la rosa de los
    mares   35
La rosa que trae el recuerdo de sus abuelos
Del fondo de sí misma
Cansada de soñar
Cansada de vivir en cada pétalo
Viento que estás pensando en la rosa del mar   40
Yo te espero de pie al final de esta línea
Yo sé dónde se esconde la flor que nace del sexo de
    las sirenas
En el momento del placer
Cuando debajo del mar empieza a atardecer
Y se oye crujir las olas   45
Bajo los pies del horizonte
Yo sé yo sé dónde se esconde
El viento tiene la voz de abeja de la joven pálida
La joven pálida como su propia estatua
Que yo amé en un rincón de mi vida   50
Cuando quería saltar de una esperanza al cielo
Y caí de naufragio en naufragio de horizonte en ho-
    rizonte
Entonces vi la rosa que se esconde
Y que nadie ha encontrado cara a cara

¿Has visto este pájaro de islas lejanas   55
Arrojado por la marea a los pies de mi cama?
¿Has visto el anillo hipnótico que va de ojo a ojo
Del amor al amor del odio al odio
Del hombre a la mujer del planeta a la planeta?
¿Has visto en el cielo desierto   60
La paloma amenazada por los años
Con los ojos llenos de recuerdos
Con el pecho lleno de silencio
Más triste que el mar después de un naufragio?

Detrás del águila postrera cantaba el cantador   65
Tenía un anillo en el corazón
Y se sentó en la tierra de su esfuerzo
Frente al volcán desafiado por una flor
El atleta quisiera ser un faro
Para tener barcos que lo miren   70
Para hacerlos dormir para dormirse
Y arrullar al cielo como un árbol
El atleta
Tiene un anillo en la garganta
Y así se pasa el tiempo   75
Quieto quieto
Porque le están creciendo anémonas en el cerebro

Contempla al huérfano que se paró en su edad
Por culpa de los ríos que llevan poca agua
Por culpa de las montañas que no bajan   80
Crece crece dice el violoncelo
Como yo estoy creciendo
Como está creciendo la idea del suicidio en la bella
    jardinera
Crece pequeño zafiro más tierno que la angustia
En los ojos del pájaro quemado   85

Creceré creceré cuando crezca la ciudad
Cuando los peces se hayan bebido todo el mar
Los días pasados son caparazones de tortuga
Ahora tengo barcos en la memoria
Y los barcos se acercan día a día   90
Oigo un ladrido de perro que da la vuelta al mundo
En tres semanas
Y se muere en llegando

El corazón ha roto las amarras
A causa de los vientos   95
Y el niño está quedándose huérfano
Si el paisaje se hiciera paloma
Antes de la noche se lo comería el mar
Pero el mar está preparando un naufragio
Y tiene sus pensamientos por otros lados   100

Navío navío
Tienes la vida corta de un abanico
Aquí nos reímos de todo eso
Aquí en el lejos lejos

La montaña embrujada por un ruiseñor   105
Sigue la miel del oso envenenado
Pobre oso de piel de oso envenenado por la noche boreal
Huye que huye de la muerte
De la muerte sentada al borde del mar

La montaña y el montaño   110
Con su luno y con su luna
La flor florecida y el flor floreciendo
Una flor que llaman girasol
Y un sol que se llama giraflor

El pájaro puede olvidar que es pájaro   115
A causa del cometa que no viene

116

Por miedo al invierno o a un atentado
El cometa que debía nacer de un telescopio y una
hortensia
Que se creyó mirar y era mirado
Un aviador se mata sobre el concierto único   120
Y el ángel que se baña en algún piano
Se vuelve otra vez envuelto en sones
Buscando el receptor en los picachos
Donde brotan las palabras y los ríos

Los lobos hacen milagros   125
En las huellas de la noche
Cuando el pájaro incógnito se nubla
Y pastan las ovejas al otro lado de la luna

Si es un recuerdo de música
Nadie puede impedir que el circo se agrande en el
silencio   130
Ni las campanas de los astros muertos
Ni la serpiente que se nutre de colores
Ni el pianista que está saliendo de la tierra
Ni el misionero que olvidó su nombre

Si el camino se sienta a descansar   135
O se remoja en el otoño de las constelaciones
Nadie impedirá que un alfiler se clave en la eternidad
Ni la mujer espolvoreada de mariposas
Ni el huérfano amaestrado por una tulipa
Ni la cebra que trota alrededor de un valse   140
Ni el guardián de la suerte
El cielo tiene miedo de la noche
Cuando el mar hace dormir los barcos
Cuando la muerte se nutre en los rincones
Y la voz del silencio se llena de vampiros   145
Entonces alumbramos un fuego bajo el oráculo
Para aplacar la suerte

Y alimentamos los milagros de la soledad
Con nuestra propia carne
Entonces en el cementerio sellado   150
Y hermoso como un eclipse
La rosa rompe sus lazos y florece al reverso de la muerte

Noche de viejos terrores de noche
¿En dónde está la gruta polar nutrida de milagros?
¿En dónde está el mirage delirante   155
De los ojos de arco-iris y de la nebulosa?
Se abre la tumba y al fondo se ve el mar
El aliento se corta y el vértigo suspenso
Hincha las sienes se derrumba en las venas
Abre los ojos más grandes que el espacio que cabe
    en ellos   160
Y un grito se cicatriza en el vacío enfermo
Se abre la tumba y al fondo se ve un rebaño perdido
    en la montaña
La pastora con su capa de viento al lado de la noche
Cuenta las pisadas de Dios en el espacio
Y se canta a sí misma   165
Se abre la tumba y al fondo se ve un desfile de tém-
    panos de hielo
Que brillan bajo los reflectores de la tormenta
Y pasan en silencio a la deriva
Solemne procesión de témpanos
Con hachones de luz dentro del cuerpo   170
Se abre la tumba y al fondo se ve el otoño y el invierno
Baja lento lento un cielo de amatista
Se abre la tumba y al fondo se ve una enorme herida
Que se agranda en lo profundo de la tierra
Con un ruido de verano y primaveras   175
Se abre la tumba y al fondo se ve una selva de hadas
    que se fecundan
Cada árbol termina en un pájaro extasiado
Y todo queda adentro de la elipse cerrada de sus cantos

118

Por esos lados debe hallarse el nido de las lágrimas
Que ruedan por el cielo y cruzan el zodíaco   180
De signo en signo
Se abre la tumba y al fondo se ve la hirviente nebu-
    losa que se apaga y se alumbra
Un aerolito pasa sin responder a nadie
Danzan luminarias en el cadalso ilimitado
En donde las cabezas sangrientas de los astros   185
Dejan un halo que crece eternamente
Se abre la tumba y salta una ola
La sombra del universo se salpica
Y todo lo que vive en la sombra o en la orilla
Se abre la tumba y sale un sollozo de planetas   190
Hay mástiles tronchados y remolinos de naufragios
Doblan las campanas de todas las estrellas
Silba el huracán perseguido a través del infinito
Sobre los ríos desbordados
Se abre la tumba y salta un ramo de flores cargadas
    de cilicios   195
Crece la hoguera impenetrable y un olor de pasión
    invade el orbe
El sol tantea el último rincón donde se esconde
Y nace la selva mágica
Se abre la tumba y al fondo se ve el mar
Sube un canto de mil barcos que se van   200
En tanto un tropel de peces
Se petrifica lentamente

Cuánto tiempo ese dedo de silencio
Dominando el insomnio interminable
Que reina en las esferas   205
Es hora de dormir en todas partes
El sueño saca al hombre de la tierra

Festejamos el amanecer con las ventanas
Festejamos el amanecer con los sombreros

Se vuela el terror del cielo   210
Los cerros se lanzan pájaros a la cara
Amanecer con esperanza de aeroplanos
Bajo la bóveda que cuela la luz desde tantos siglos
Amor y paciencia de columna central
Nos frotamos las manos y reímos   215
Nos lavamos los ojos y jugamos
    El horizonte es un rinoceronte
    El mar un azar
    El cielo un pañuelo
    La llaga una plaga   220
Un horizonte jugando a todo mar se sonaba con el
    cielo después de las siete plagas de Egipto
El rinoceronte navega sobre el azar como el cometa
    en su pañuelo lleno de plagas

Razón del día no es razón de noche
Y cada tiempo tiene insinuación distinta
Los vegetales salen a comer al borde   225
Las olas tienden las manos
Para coger un pájaro
Todo es variable en el mirar sencillo
Y en los subterráneos de la vida
Tal vez sea lo mismo   230

La herida de luna de la pobre loca
La pobre loca de la luna herida
Tenía luz en la celeste boca
Boca celeste que la luz tenía
El mar de flor para esperanza ciega   235
Ciega esperanza para flor de mar
Cantar para el ruiseñor que al cielo pega
Pega el cielo al ruiseñor para cantar

Jugamos fuera del tiempo
Y juega con nosotros el molino de viento   240

Molino de viento
Molino de aliento
Molino de cuento
Molino de intento
Molino de aumento   245
Molino de ungüento
Molino de sustento
Molino de tormento
Molino de salvamento
Molino de advenimiento   250
Molino de tejimiento
Molino de rugimiento
Molino de tañimiento
Molino de afletamiento
Molino de agolpamiento   255
Molino de alargamiento
Molino de alejamiento
Molino de amasamiento
Molino de engendramiento
Molino de ensoñamiento   260
Molino de ensalzamiento
Molino de enterramiento
Molino de maduramiento
Molino de malogramiento
Molino de maldecimiento   265
Molino de sacudimiento
Molino de revelamiento
Molino de oscurecimiento
Molino de enajenamiento
Molino de enamoramiento   270
Molino de encabezamiento
Molino de encastillamiento
Molino de aparecimiento
Molino de despojamiento
Molino de atesoramiento   275
Molino de enloquecimiento

Molino de ensortijamiento
Molino de envenenamiento
Molino de acontecimiento
Molino de descuartizamiento   280
Molino del portento
Molino del lamento
Molino del momento
Molino del firmamento
Molino del sentimiento   285
Molino del juramento
Molino del ardimiento
Molino del crecimiento
Molino del nutrimiento
Molino del conocimiento   290
Molino del descendimiento
Molino del desollamiento
Molino del elevamiento
Molino del endiosamiento
Molino del alumbramiento   295
Molino del deliramiento
Molino del aburrimiento
Molino del engreimiento
Molino del escalamiento
Molino del descubrimiento   300
Molino del escurrimiento
Molino del remordimiento
Molino del redoblamiento
Molino del atronamiento
Molino del aturdimiento   305
Molino del despeñamiento
Molino del quebrantamiento
Molino del envejecimiento
Molino del aceleramiento
Molino del encarnizamiento   310
Molino del anonadamiento
Molino del arrepentimiento

Molino del encanecimiento
Molino del despedazamiento
Molino del descorazonamiento   315
Molino en fragmento
Molino en detrimento
Molino en giramiento
Molino en gruñimiento
Molino en sacramento   320
Molino en pensamiento
Molino en pulsamiento
Molino en pudrimiento
Molino en nacimiento
Molino en apiñamiento   325
Molino en apagamiento
Molino en decaimiento
Molino en derretimiento
Molino en desvalimento
Molino en marchitamiento   330
Molino en enfadamiento
Molino en encantamiento
Molino en transformamiento
Molino en asolamiento
Molino en concebimiento   335
Molino en derribamiento
Molino en imaginamiento
Molino en desamparamiento
Molino con talento
Molino con acento   340
Molino con sufrimiento
Molino con temperamento
Molino con fascinamiento
Molino con hormigamiento
Molino con retorcimiento   345
Molino con resentimiento
Molino con refregamiento
Molino con recogimiento

123

Molino con razonamiento
Molino con quebrantamiento   350
Molino con prolongamiento
Molino con presentimiento
Molino con padecimiento
Molino con amordazamiento
Molino con enronquecimiento   355
Molino con alucinamiento
Molino con atolondramiento
Molino con desfallecimiento
Molino para aposento
Molino para convento   360
Molino para ungimiento
Molino para alojamiento
Molino para cargamento
Molino para subimento
Molino para flotamiento   365
Molino para enfriamiento
Molino para embrujamiento
Molino para acogimiento
Molino para apostamiento
Molino para arrobamiento   370
Molino para escapamiento
Molino para escondimiento
Molino para estrellamiento
Molino para exaltamiento
Molino para guarecimiento   375
Molino para levantamiento
Molino para machucamiento
Molino para renovamiento
Molino para desplazamiento
Molino para anticipamiento   380
Molino para amonedamiento
Molino para profetizamiento
Molino para descoyuntamiento
Molino como ornamento

Molino granujiento
Molino ceniciento
Molino polvoriento
Molino cazcarriento
Molino gargajiento   425
Molino sudoriento
Molino macilento
Molino soñoliento
Molino turbulento
Molino truculento   430

Así eres molino de viento
Molino de asiento
Molino de asiento del viento
Que teje las noches y las mañanas
Que hila las nieblas de ultratumba   435
Molino de aspavientos y del viento en aspas
El paisaje se llena de tus locuras

Y el trigo viene y va
De la tierra al cielo
Del cielo al mar   440
Los trigos de las olas amarillas
Donde el viento se revuelca
Buscando la cosquilla de las espigas
Escucha
Pasa el palpador en eléctricas corrientes   445
El viento norte despeina tus cabellos
Hurra molino moledor
Molino volador
Molino charlador
Molino cantador   450
Cuando el cielo trae de la mano una tempestad
Hurra molino girando en la memoria
Molino que hipnotiza las palomas viajeras

Habla habla molino de cuento
Cuando el viento narra tu leyenda etérea   455
Sangra sangra molino del descendimiento
Con tu gran recuerdo pegado a los ocasos del mundo
Y los brazos de tu cruz fatigados por el huracán

Así reímos y cantamos en esta hora
Porque el molino ha creado el imperio de su luz
    escogida   460
Y es necesario que lo sepa
Es necesario que alguien se lo diga

Sol tú que naciste en mi ojo derecho
Y moriste en mi ojo izquierdo
No creas en los vaticinios del zodíaco   465
Ni en los ladridos de las tumbas
Las tumbas tienen maleficios de luna
Y no saben lo que hablan
Yo te lo digo porque mi sombrero está cansado de
    recorrer el mundo
Y tengo una experiencia de mariposa milenaria   470

Profetiza profetiza
Molino de las constelaciones
Mientras bailamos sobre el azar de la risa
Ahora que la grúa que nos trae el día
Volcó la noche fuera de la tierra   475
Empiece ya
La farandolina en la lejantaña de la montanía
El horimento bajo el firmazonte
Se embarca en la luna
Para dar la vuelta al mundo   480
Empiece ya
La faranmandó mandó liná
Con su musiquí con su musicá

La carabantantina
La carabantantú   485
La farandosilina
La Farandú
La Carabantantá
La Carabantantí
La farandosilá   490
La faransí

Ríe ríe antes que venga la fatiga
En su carro nebuloso de días
Y los años y los siglos
Se amontonen en el vacío   495
Y todo sea oscuro en el ojo del cielo

La cascada que cabellera sobre la noche
Mientras la noche se cama a descansar
Con su luna que almohada al cielo
Yo ojo el paisaje cansado   500
Que se ruta hacia el horizonte
A la sombra de un árbol naufragando

Y he aquí que ahora me diluyo en múltiples cosas
Soy luciérnaga y voy iluminando las ramas de la selva
Sin embargo, cuando vuelo guardo mi modo de
       andar   505
Y no sólo soy luciérnaga
Sino también el aire en que vuela
La luna me atraviesa de parte a parte
Dos pájaros se pierden en mi pecho
Sin poderlo remediar.   510
Y luego soy árbol
Y en cuanto a árbol conservo mis modos de luciérnaga
Y mis modos de cielo
Y mi andar de hombre mi triste andar
Ahora soy rosal y hablo con lenguaje de rosal   515

128

Y digo
Sal rosa rorosalía
Sal rosa al día
Salía al sol rosa sario
Fueguisa mía sonrodería rososoro oro   520
Ando pequeño volcán del día
Y tengo miedo del volcán
Mas el volcán responde
Prófugo rueda al fondo donde ronco
Soy rosa de trueno y sueno mis carrasperas   525
Estoy preso y arrastro mis propios grillos
Los astros que trago crujen en mis entrañas
Proa a la borrasca en procesión procreadora
Proclamo mis proezas bramadoras
Y mis bronquios respiran en la tierra profunda   530
Bajo los mares y las montañas.
Y luego soy pájaro
Y me disputo el día en gorjeos
El día que me cruza la garganta
Ahora solamente digo   535
Callaos que voy a cantar
Soy el único cantor de este siglo
Mío mío es todo el infinito
Mis mentiras huelen a cielo
Y nada más   540
Y ahora soy mar
Pero guardo algo de mis modos de volcán
De mis modos de árbol de mis modos de luciérnaga
De mis modos de pájaro de hombre y de rosal
Y hablo como mar y digo   545
De la firmeza hasta el horicielo
Soy todo montalas en la azulaya
Bailo en las volaguas con espurinas
Una corriela tras de la otra
Ondola en olañas mi rugazuelo   550
Las verdondilas bajo la luna del selviflujo

Van en montonda hasta el infidondo
Y cuando bramuran los hurafones
Y la ondaja lanza a las playas sus laziolas
Hay un naufundo que grita pidiendo auxilio   555
Yo me hago el sordo
Miro las butraceas lentas sobre mis tornadelas
La subaterna con sus brajidos
Las escalolas de la montasca
Las escalolas de la desonda   560
Que no descansan hasta que roen el borde de los
    altielos
Hasta que llegan al abifunda
En tanto el pirata canta
Y yo lo escucho vestido de verdiul   565
        La lona en el mar riela
        En la luna gime el viento
        Y alza en blanco crugimiento
        Alas de olas en mi azul*
El mar se abrirá para dejar salir los primeros náufragos
Que cumplieron su castigo   570
Después de tantos siglos y más siglos
Andarán por la tierra con miradas de vidrio
Escalarán los montes de sus frases proféticas
Y se convertirán en constelaciones
Entonces aparecerá un volcán en medio de las olas 575
Y dirá yo soy el rey
Traedme el harmonio de las nebulosas
Y sabed que las islas son las coronas de mi cabeza
Y las olas mi único tesoro
Yo soy el rey   580
El rey canta a la reina
El cielo canta a la ciela

---

* Evidente re-escritura de algunos versos de *La canción del pirata* de
Espronceda: «La luna en el mar riela, / En la lona gime el viento, / Y alza
en blando movimiento / Olas de plata y azul».

El luz canta a la luz
La luz que busca el ojo hasta que lo encuentra.
Canta el cielo en su lengua astronómica   585
Y la luz en su idioma magnético
Mientras el mar lame los pies de la reina
Que se peina eternamente
Yo soy el rey
Y os digo que el planeta que atravesó la noche   590
No se reconoce al salir por el otro lado
Y mucho menos al entrar en el día
Pues ni siquiera recuerda cómo se llamaba
Ni quiénes eran sus padres
Dime ¿eres hijo de Martín Pescador   595
O eres nieto de una cigüeña tartamuda
O de aquella jirafa que vi en medio del desierto
Pastando ensimismada las yerbas de la luna
O eres hijo del ahorcado que tenía ojos de pirámide?
Algún día lo sabremos   600
Y morirás sin tu secreto
Y de tu tumba saldrá un arco-iris como un tranvía
Del arco-iris saldrá una pareja haciendo el amor
Del amor saldrá una selva errante
De la selva saldrá una flecha   605
De la flecha saldrá una liebre huyendo por los campos
De la liebre saldrá una cinta que irá señalando su
    camino
De la cinta saldrá un río y una catarata que salvará a
    la liebre de sus perseguidores
Hasta que la liebre empiece a trepar por una mirada
Y se esconda al fondo del ojo   610
Yo soy el rey
Los ahogados florecen cuando yo lo mando
Atad el arco-iris al pirata
Atad el viento a los cabellos de la bruja
Yo soy el rey   615
Y trazaré tu horóscopo como un plan de batalla

131

Oyendo esto el arco-iris se alejaba
Adónde vas arco-iris
No sabes que hay asesinos en todos los caminos?
El iris encadenado en la columna montante   620
Columna de mercurio en fiesta para nosotros
Tres mil doscientos metros de infra-rojo
Un extremo se apoya en mi pie y el otro en la llaga
    de Cristo
Los domingos del arco-iris para el arcángel
¿En dónde está el arquero de los meteoros?   625
El arquero arcaico
Bajo la arcada eterna el arquero del arcano con su
    violín violeta con su violín violáceo con su violín
    violado
Arco-iris arco de las cejas en mi cielo arqueológico
Bajo el área del arco se esconde el arca de tesoros
    preciosos
Y la flor montada como un reloj   630
Con el engranaje perfecto de sus pétalos
Ahora que un caballo empieza a subir galopando por
    el arco-iris
Ahora la mirada descarga los ojos demasiado llenos
En el instante en que huyen los ocasos a través de las
    llanuras
El cielo está esperando un aeroplano*   635

Y yo oigo la risa de los muertos debajo de la tierra

---

* Aquí se sobrentiende un olvidado lugar común de la época vanguardista: la imagen apollinaireana del avión como silueta de la cruz.

132

CANTO VI

Alhaja apoteosis y molusco
Anudado
      noche
           nudo
El corazón   5
Esa entonces dirección
                  nudo temblando
Flexible corazón la apoteosis
Un dos tres
        cuatro   10
lágrima
      mi lámpara
             y molusco
El pecho al melodioso
Anudado la joya   15
Conque temblando angustia
Normal tedio
        Sería pasión
        Muerte el violoncelo
Una bujía el ojo   20
           Otro otra
Cristal si cristal era
Cristaleza
Magnetismo
        sabéis la seda   25

Viento flor
      lento nube lento
Seda cristal lento seda
El magnetismo
          seda aliento cristal seda   30
Así viajando en postura de ondulación
Cristal nube
Molusco sí por violoncelo y joya
Muerte de joya y violoncelo
Así sed por hambre o hambre y sed   35
Y nube y joya
Lento
    nube
      Ala ola ole ala Aladino
El ladino Aladino Ah ladino dino la   40
Cristal nube
Adónde
      en dónde
Lento lenta
       ala ola   45
Ola ola el ladino si ladino
Pide ojos
      Tengo nácar
En la seda cristal nube
Cristal ojos   50
        y perfumes
Bella tienda
Cristal nube
        muerte joya o en ceniza
Porque eterno porque eterna   55
               lento lenta
Al azar del cristal ojos
Gracia tanta
      y entre mares
Miramares   60

Nombres daba
            por los ojos hojas mago
Alto alto
Y el clarín de la Babel
Pida nácar   65
            tenga muerte
Una dos y cuatro muerte
Para el ojo y entre mares
Para el barco en los perfumes
Por la joya al infinito   70
Vestir cielo sin desmayo
Se deshoja tan prodigio
El cristal ojo
Y la visita
            flor y rama   75
Al gloria trino
            apoteosis
Va viajando Nudo Noche
Me daría
            cristaleras   80
                  tanto azar
                        y noche y noche
Que tenía la borrasca
Noche y noche
            Apoteosis   85
Que tenía cristal ojo cristal seda cristal nube
La escultura seda o noche
Lluvia
        Lana flor por ojo
            Flor por nube   90
            Flor por noche
Señor horizonte viene viene
Puerta
Iluminando negro
Puerta hacia idas estatutarias   95

Estatuas de aquella ternura
Adónde va
De dónde viene
        el paisaje viento seda
El paisaje   100
        señor verde
Quién diría
Que se iba
Quién diría cristal noche
Tanta tarde   105
Tanto cielo que levanta
Señor cielo
        cristal cielo
Y las llamas
        y en mi reino   110
Ancla noche apoteosis
Anudando
        la tormenta
Ancla cielo
        sus raíces   115
El destino tanto azar
Se desliza deslizaba
Apagándose pradera
Por quien sueña
Lunancero cristal luna   120
En que sueña
En qué reino
        de sus hierros
Anda mía golondrina
Sus resortes en el mar   125
Angel mío
        tan obscuro
                tan color
Tan estatua y tan aliento
Tierra y mano   130
La marina tan armada

Armaduras los cabellos
Ojos templo
          y el mendigo
Estallado corazón   135
Montanario
Campañoso
Suenan perlas
Llaman perlas
El honor de los adioses   140
                    Cristal nube
El rumor y la lazada
Nadadora
          Cristal noche
La medusa irreparable   145
Dirá espectro
          Cristal seda
Olvidando la serpiente
Olvidando sus dos piernas
Sus dos ojos   150
Sus dos manos
Sus orejas
Aeronauta
          en mi terror
Viento aparte   155
Mandodrina y golonlina
Mandolera y ventolina
Enterradas
Las campanas
Enterrados los olvidos   160
En su oreja
              viento norte
Cristal mío
Baño eterno
              el nudo noche   165
El gloria trino
              sin desmayo

Al tan prodigio
Con su estatua
Noche y rama   170
       Cristal sueño
       Cristal viaje
Flor y noche
Con su estatua
       Cristal muerte   175

CANTO VII

Ai aia aia
ia ia ia aia iii
Tralalí
Lali lalá
Aruaru 5
        urulario
Lalilá
Rimbibolam lam lam
Uiaya zollonario
                lalilá 10
Monlutrella monluztrella
                    lalolú
Montresol y mandotrina
Ai ai
        Montesur en lasurido 15
            Montesol
Lusponsedo solinario
Aururaro ulisamento lalilá
Ylarca murllonía
Hormajauma marijauda 20
Mitradente
Mitrapausa
Mitralonga
Matrisola
        matriola 25

139

Olamina olasica lalilá
Isonauta
Olandera uruaro
la ia campanuso compasedo
Tralalá   30
Aí ai mareciente y eternauta
Redontella tallerendo lucenario
la ia
Laribamba
Larimbambamplanerella   35
Laribambamositerella
Leiramombaririlanla
                    lirilam
Ai i a
Temporía   40
Ai ai aia
Ululayu
        lulayu
                layu yu
Ululayu   45
        ulayu
                ayu yu
Lunatando
Sensorida e infimento
Ululayo ululamento   50
Plegasuena
Cantasorio ululaciente
Oraneva yu yu yo
Tempovío
Infilero e infinauta zurrosía   55
Jaurinario ururayú
Montañendo oraranía
Arorasía ululacente
Semperiva
        ivarisa tarirá   60

Campanudio lalalí
                    Auriciento auronida
Lalalí
        io ia
i i i o   65
Ai a i ai a i i i i o ia

Temblor de cielo *

* El texto reproducido fue publicado originalmente por la editorial Plutarco en Madrid en 1931.
Las divisiones del texto marcadas con asteriscos corresponden al original.

Ante todo hay que saber cuántas veces debemos abandonar nuestra novia y huir de sexo en sexo hasta el fin de la tierra.

Allí en donde el vacío pasa su arco de violín sobre el horizonte y el hombre se transforma en pájaro y el ángel en piedra preciosa.

El Padre Eterno está fabricando tinieblas en su laboratorio y trabaja para volver sordos a los ciegos. Tiene un ojo en la mano y no sabe a quién ponérselo. Y en un bocal tiene una oreja en cópula con otro ojo.

Estamos lejos, en el fin de los fines, en donde un hombre colgado por los pies de una estrella se balancea en el espacio con la cabeza hacia abajo. El viento que dobla los árboles, agita sus cabellos dulcemente.

Los arroyos voladores se posan en las selvas nuevas donde los pájaros maldicen el amanecer de tanta flor inútil.

Con cuánta razón ellos insultan las palpitaciones de esas cosas oscuras.

Si se tratara solamente de degollar al capitán de las flores y hacerle sangrar el corazón del sentimiento superfluo, el corazón lleno de secretos y trozos de universo.

La boca de un hombre amado sobre un tambor.

Los senos de la niña inolvidable clavados en el mismo árbol donde los picotean los ruiseñores.

Y la estatua del héroe en el polo.

Destruirlo todo, todo, a bala y a cuchillo.

Los ídolos se baten bajo el agua.

—Isolda, Isolda, cuántos kilómetros nos separan, cuántos sexos entre tú y yo.

Tú sabes bien que Dios arranca los ojos a las flores pues su manía es la ceguera.

Y transforma el espíritu en un paquete de plumas y transforma las novias sentadas sobre rosas en serpientes de pianola, en serpientes hermanas de la flauta, de la misma flauta que se besa en las noches de nieve y que las llama desde lejos.

Pero tú no sabes por qué razón el mirlo despedaza el árbol entre sus dedos sangrientos.

Y éste es el misterio.

Cuarenta días y cuarenta noches trepando de rama en rama como en el Diluvio. Cuarenta días y cuarenta noches de misterio entre rocas y picachos.

Yo podría caerme de destino en destino pero siempre guardaré el recuerdo del cielo.

¿Conoces las visiones de la altura? ¿Has visto el corazón de la luz? Yo me convierto a veces en una selva inmensa y recorro los mundos como un ejército.

Mira la entrada de los ríos.

El mar puede apenas ser mi teatro en ciertas tardes.

La calle de los sueños no tiene árboles, ni una mujer crucificada en una flor, ni un barco pasando las páginas del mar.

La calle de los sueños tiene un ombligo inmenso de donde asoma una botella. Adentro de la botella hay un obispo muerto. El obispo cambia de colores cada vez que se mueve la botella.

Hay cuatro velas que se encienden y se apagan siguiendo un turno sucesivo. A veces un relámpago nos hace ver en el cielo una mujer despedazada que viene cayendo desde hace ciento cuarenta años.

El cielo esconde su misterio.

En todas las escalas se supone un asesino escondido. Los cantores cardíacos mueren sólo de pensar en ello.

Así las mariposas enfermizas volverán a su estado de gusanos del cual no debían haber salido nunca. El oído recaerá en infancia y se llenará de ecos marinos y de esas algas que flotan en los ojos de ciertos pájaros.

Solamente Isolda conoce el misterio. Pero ella recorre el arco-iris con sus dedos temblorosos en busca de un sonido especial.

Y si un mirlo le picotea el ojo ella le deja beber toda el agua que quiera con la misma sonrisa que atrae los rebaños de búfalos.

¿Sobre qué corazón hinchado de amargura podrías flotar tú en todos los océanos, en cualquier mar?

Porque debes saber que aferrarse a un corazón como a una boya es peligroso a causa de las grutas marinas que los atraen y en donde los pulpos que son nudos de serpientes o trompas de elefantes les cierran la salida para siempre.

Dáte cuenta de lo que es una montaña con los brazos levantados pidiendo perdón y piensa que es menos peligrosa que los mares y más asequible a la amistad.

Sin embargo tu destino es amar lo peligroso, lo peligroso que hay en ti y fuera de ti, besar los labios del abismo contando con ayudas tenebrosas para el triunfo final de todas tus empresas y tus sueños cubiertos de rocío en el amanecer.

De lo contrario agradece y retírate hasta el fondo de la memoria de los hombres.

—Isolda, Isolda, en la época glacial los osos eran flores. Cuando vino el deshielo se libertaron de sí mismos y salieron corriendo en todas direcciones.

Piensa en la resurrección.

Sólo tú conoces el milagro. Tú has visto ejecutarse el milagro ante cien arpas maravilladas y todos los cañones apuntando al horizonte.

Había entonces un desfile de marineros ante un rey en un país lejano. Las olas esperaban impacientes la vuelta de los suyos. Entretanto el mar aplaudía.

El termómetro bajaba lentamente porque el mirlo había dejado de cantar y pensaba lanzarse de un trapecio al medio del mundo.

Ahora sólo una cosa temo y es que tú salgas de una lámpara o de algún florero y me hables en términos elocuentes como hablan las magnolias en la tarde. El cuarto se llenaría de libélulas agonizantes y yo tendría que sentarme para no caer al suelo sin conocimiento. La muerte sería el pensamiento mismo. Reflejado en todas partes donde se vuelvan los ojos.

Sobre el castillo el esqueleto del general hará señas como un semáforo. Nosotros contaremos las calaveras que se arrastran por el campo atadas a través de una cuerda interminable a la cola del caballo sonámbulo que nadie reconoce como suyo.

Los esclavos negros aplaudirán sobre el vientre de las esclavas tan ebrias como ellos sin darse cuenta que el viento es un fantasma y que los árboles allá lejos flotan sobre un cementerio.

¿Quién ha contado todos sus muertos?

¿Y si se abrieran todas las ventanas y si todas las lámparas se ponen a cantar y si se incendia el cementerio?

Por cada pájaro del cielo habrá un cazador en la tierra.

Sonarán los clarines y las banderas se convertirán en luces de bengala. Murió la fe, murieron todas las aves de rapiña que te roían el corazón.

Pasan volando las estatuas migratorias.

En la llanura inmensa se oye el suplicio de los ídolos entre los cantos de los árboles.

Las flores huyen despavoridas.

Se abren las puertas de una música desconocida y salen los años del mago que se queda sentado agonizando con las manos sobre el pecho.

Cuántas cosas han muerto adentro de nosotros. Cuánta muerte llevamos en nosotros. ¿Por qué aferrarnos a nuestros muertos? ¿Por qué nos empeñamos en resucitar nuestros muertos? Ellos nos impiden ver la idea que nace. Tenemos miedo a la nueva luz que se presenta, a la que no estamos habituados todavía como a nuestros muertos inmóviles y sin sorpresa peligrosa. Hay que dejar lo muerto por lo que vive.

—Isolda, entierra todos tus muertos.

Piensa, recuerda, olvida. Que tu recuerdo olvide sus recuerdos, que tu olvido recuerde sus olvidos. Cuida de no morir antes de tu muerte.

Cómo dar un poco de grandeza a esta bestia actual que sólo dobla sus rodillas de cansancio a esas altas horas en que la luna llega volando y se coloca al frente.

Y, sin embargo, vivimos esperando un azar, la formación de un signo sideral en ese expiatorio más allá en donde no alcanza a llegar ni el sonido de nuestras campanas.

Así, esperando el gran azar.

Que el polo norte se desprenda como el sombrero que saluda.

Que surja el continente que estamos aguardando desde hace tantos años, aquí sentados detrás de las rejas del horizonte.

Que pase corriendo el asesino disparando balazos sin control a sus perseguidores.

Que se sepa por qué nació aquella niña y no el niño prometido por los sueños y anunciado tantas veces.

Que se vea el cadáver que bosteza y se estira debajo de la tierra.

Que se vea pasar el fantasma glorioso entre las arboledas del cielo.

Que de repente se detengan todos los ríos a una voz de mando.

Que el cielo cambie de lugar.

Que los mares se amontonen en una gran pirámide más alta que todas las babeles soñadas por la ambición.

Que sople un viento desesperado y apague las estrellas.

Que un dedo luminoso escriba una palabra en el cielo de la noche.

Que se derrumbe la casa de enfrente.

Para esto vivimos, puedes creerme, para esto vivimos y no para otra cosa. Para esto tenemos voz y para esto tenemos una red en la voz.

Y para esto tenemos ese correr angustiado adentro de las venas y ese galope de animal herido en el pecho.

Para esto enrojece la carne martirizada de las palabras y crece el pensamiento regado por los ríos subterráneos. Para esto el aullido del sobresalto heredado del abuelo más trágico.

Cortad la cabeza al monstruo que ruge en la puerta del sueño. Y luego que nadie prohíba nada.

Alguien habla y nace una amapola en la cumbre de la voz antes que brille el opio de la mirada futura.

—Paz en la tierra al marinero de la noche.

Los exploradores silenciosos levantan la cabeza y la aventura se desnuda de su traje de oro.

He aquí el sentido del ocaso.

Acaso el ocaso nos haga caso y entonces habréis comprendido los signos de la noche. Habréis comprendido los inventos del silencio. La mirada del sueño. El umbral del abismo. El viaje de los montes.

La travesía de la noche.

Isolda, Isolda, yo sigo mi destino.

¿En dónde has escondido el oasis que me habías prometido tantas veces?

La luz se cansó de andar.

¿Adónde lleva, dime, esa escalera que sale de tus ojos y se pierde en el aire?

¿Sabes tú que mi destino es andar? ¿Conoces la vanidad del explorador y el fantasma de la aventura?

Es una cuestión de sangre y huesos frente a un imán especial. Es un destino irrevocable de meteoro fabuloso.

No es una cuestión de amor en carne, es una cuestión de vida, una cuestión de espíritu viajante, de pájaro nómada.

Todas esas mujeres son árboles o piedras de reposo en el camino tal vez innecesarias.

Botellas de agua o toneles de embriaguez generalmente sin luz propia. Obedecen como las catedrales a un principio musical. Cada acorde tiene su correspondiente y todo consiste en saber tocar el punto del eco que ha de responder. Es fácil hacer tejidos de sones y construir una verdadera techumbre o magníficas cúpulas para los días de lluvia.

Si el destino lo permite podemos guarecernos por un tiempo y contar los dedos de aquella que nos tiende los brazos.

Luego el fantasma nos obligará a seguir la marcha.

Saltaremos por encima de los senos palpitantes que son sus cúpulas porque ella tendida de espaldas imita un templo. Mejor dicho son los templos los que las imitan a ellas, con sus torres como senos, su cúpula central como cabeza y su puerta que quisiera imitar al sexo por donde se entra a buscar la vida que late en el vientre y por donde debe salir después la misma vida.

Pero nosotros no hemos de aceptar semejante imitación, ni podemos creer en la tal vida. En esa vida que sale con los ojos vendados y va estrellándose en todos los árboles del paisaje. Sólo creeremos en las flores que son cunas de gigantes, aunque sabemos que adentro de cada capullo duerme un enano.

Y al fondo las montañas de roca viva sonríen dulcemente.

Las montañas sonríen porque un ciego se ha sentado encima de ellas a oír redoblar los tambores del volcán. Pero lo que pasa en los llanos es más importante aún pues los árboles del bosque se han convertido en serpientes y se debaten rítmicamente a causa de una flauta especial.

Me olvidaba deciros que también hay un lago y que este lago se aleja según la dirección del viento. A veces llega hasta a perderse de vista, a veces pasa largos años ausente y vuelve de otro color. A veces tiene hambre y maldice a los hombres que no naufragan a la hora debida. Otras veces camina en cuatro patas y roe durante horas y horas los despojos de tanta tragedia acumulados en sus orillas o los reflejos de quién sabe qué tiempos secretos.

Si el pájaro del ojo se cae en el lago salta un geyser en la montaña. Un geyser hermoso como un árbol con una mujer que se equilibra en la punta.

También el lago puede equilibrarse en la punta del árbol. Todo depende de mi voluntad y del tambor que redoble a tiempo.

Todos esos espías escondidos tras de los árboles no esperan el milagro como ellos quisieran hacer creer sino a la mujer desnuda y ciega que sale a pasear en las tardes su estatua perdida y puede estrellarse en ellos.

Estás malgastando el tiempo.

Mirad, mirad hay un incendio en la luna.

Vestida de blanco Isolda venía como una nube.

Entonces la luna empezó a caer envuelta en llamas. En las playas danzaba un reflejo de fuego.

Los espectros salen uno a uno de cada ola que se levanta. Vosotros que estáis allí escondidos, llegó la hora de temblar ante la voracidad de la muerte.

El sol poniente hace una aureola sobre la cabeza del último náufrago que flota a la deriva sin oír más los cantos de la orilla.

Los lobos se pasean con los ojos brillantes entre las ramas de la noche, enlazados estrechamente y llorando sin causa precisa.

El hombre aquél, más grande que los otros, abre la boca en medio del jardín y empieza a tragar luciérnagas durante horas enteras.

Los árboles están retorcidos a causa de un dolor extraño. Y una cantidad de meteoros que caen del cielo forman espirales en la atmósfera nuestra como si fueran piedras en el agua.

Un humo espeso sale de todos lados. Ahora sólo brillan los ojos de los lobos y el hombre lleno de luciérnagas. Todo lo demás es penumbra.

La montaña abre sus puertas y el ciego entra con los brazos extendidos.

Hay un árbol, un árbol grueso que se retuerce en el fuego del crepúsculo.

Arriba Dios está meciendo un planeta recién nacido.

Caen aureolas sobre la tierra. Una detrás de otra van cayendo cientos de aureolas sobre la tierra, algunas sobre ciertas cabezas... ¿Y nada más?

Una isla de palmeras surge del mar para los novios que se pasean enlazados.

Algún día uno de ellos encontrará la cabeza que se le había perdido, inmóvil en el mismo sitio en que la perdiera.

¿Cuándo? ¿En dónde? ¿Cuál de ellos?

He ahí el suplicio, Isolda, detrás de la montaña. He allí el suplicio.

Las selvas migratorias no llegarán tan lejos.

Hay una sandalia sola en medio de la tierra.

La marcha de las tardes que pasan se siente en el fondo del mar. En el momento éste en que todo se torna brillante de ebriedad.

Hay un sombrero más allá a la altura de una cabeza.

Hay un bastón clavado en el suelo y a la altura de una mano.

Y no hay nada más. Porque ninguno de vosotros puede ver el fantasma que sonríe al perro en este instante.

Ninguno sabe por qué se movieron las cortinas detrás de la cama.

Ni por qué se sonrojaron las mejillas de Isolda como dos cortinas que se corren.

Y por qué temblaron sus piernas como dos cortinas que se abren.

* * *

Yo sería capaz de llorar en el amanecer por verte sonreír.

Sería capaz de mendigar el saludo del espectro que camina solemne hacia la edad de piedra.

Bien lo sabes, por ti pasaré como un reflejo de selva en selva. ¿Qué más quieres?

Dos cuerpos enlazados domestican la eternidad.

Y es preciso ponerse de rodillas.

Entonces el castillo se convierte en una flor, el ojo se convierte en un río lleno de barcas y toda clase de peces.

El piano se convierte en una montaña, el mar en una pequeña alcachofa que gira como un molino.

Los nervios se convierten en un árbol lleno de temblores y sus temblores se propagan en la noche de trecho en trecho hasta el infinito.

El cerebro rueda cuerpo abajo y se va no se sabe dónde. Al mismo instante las selvas huyen a la desbandada.

Empieza el suplicio de los huesos con su saco de nubes a cuestas, bajando desde la cumbre de la matriz silenciosa, triste como el pájaro de una bruja, como la flor amenazada en la noche.

Preparado por la soledad todo es posible. Desde luego colgada de cada lámpara una mujer se mece en el aire que respiramos. Sale una música de cada cuadro en la pared, puesto que sabemos que todo paisaje es un instrumento musical. Y detrás de cada puerta hay un esqueleto impaciente que espera.

La noche llora en su retiro completamente abandonada. La noche que te auscultaba el corazón. La noche ¿te acuerdas? Cuando las cortinas tomaban forma de orejas y forma de párpados con pestañas de silencio. Entonces yo me inclinaba sobre ti como en una mesa de disección, hundía en ti mis labios y te miraba; tu vientre semejante a una herida viva y tus ojos como el fin del mundo.

Arrastrados por la soledad, Isolda, nos sumergimos en la noche que nos esperaba al pie de la casa.

* * *

Hemos andado mucho. Los reflectores buscaban desesperados en la noche, corrían de un lado para otro, se cruzaban en el infinito, se saludaban y se despedían para siempre. De pronto una mano salió en medio del cielo, una mano como de náufrago, y apretó entre sus dedos la cabeza de un pájaro que cayó, sin una protesta de sus labios, lentamente sobre la tierra.

Estábamos a la orilla del mar. Una ola vino corriendo, pescó al pájaro muerto y se lo llevó consigo.

La montaña de la orilla tuvo un pequeño escalofrío, luego de su espalda de cetáceo brotó un chorro de agua fresca y cristalina mientras una ola pasaba por encima del faro que pareció adentro de una vitrina lejana.

Así volvió la hora de la serenidad traída de la mano por un cometa que nadie supo bautizar y que los niños llamaron, nunca se ha sabido por qué, Cabellera de Eloísa.

Aún suele verse en las noches el ojo que flota sobre el mar como una almendra desolada.

Aún suele verse el barco que pasa por el aire con las redes tendidas.

Aún suele verse al ahogado flotando entre dos aguas con el cuerpo luminoso.

Aún suele verse el velero como una cruz en su Gólgota interminable.

Aún suele verse a los piratas aferrados a la quilla flotante y al capitán colgado del palo mayor en alta mar.

Aún puede verse a la luz de un relámpago al timonero pálido con las barbas al viento.

Aún puede verse a la luz de un relámpago a la muerta desnuda con los senos hinchados.

Aún puede verse a la luz de un relámpago el caballo del rapto que se pierde a lo lejos.

Aún suele verse en las noches de luna la mano que flota.

Pero la pesca de sirenas con los cabellos enredados en las redes no ha vuelto a verse y en vano hemos esperado.

Hemos saludado todas las olas, hemos mirado atentamente, hemos agitado nuestros sombreros y nuestros pañuelos, hemos jugado sus senos a los dados en la cubierta de miles de barcos. Todo inútil. Los cómplices del alba oyeron las flores en viaje, oyeron la marcha de la luz polar y otra vez la marcha del héroe hacia la edad de piedra.

Pero nadie verá el suplicio de las sirenas.

En vano levantáis los dedos señalando cada pliegue del mar o cada temblor en las nubes.

Yo os lo digo, ella está más escondida que la noche.

Un pájaro solitario como el mar, se aleja lentamente tal vez a causa de vuestros gritos.

Se aleja lentamente, he dicho, hacia las maravillas de su sueño propio. Se aleja llevándose el sentido de la tarde.

No es para vosotros el panorama del secreto naciente.

¿Qué sabéis vosotros de los encuentros en la eternidad? Os repito, ella está más escondida que la noche al medio día.

Inútilmente aparejamos hacia la venturosa exploración. Ni hacia las pescas impasibles apenas iluminadas por las luces internas del mar, apenas balanceadas por el silencio o la soledad.

* * *

¿Quién ha sido el asesino?

Ante el juez está el cadáver de la mujer como la momia de la más bella faraona.

Gritad, acusadores.

Inútilmente el juez escruta los ojos de los circunstantes. La forma de ningún ojo presente corresponde a la forma de la herida que se ve aún sangrienta en el pecho desnudo.

Una ráfaga violenta cierra todos los párpados. El juez enrojece de cólera.

—Señores ¿quién oyó el disparo?

¿Nadie vio una sombra huir por la ventana? ¿Nadie vio una luz en medio de la noche?

Todos los ojos se vuelven hacia el hombre grande que se comía las luciérnagas en el jardín.

A través de la transparencia de su cuerpo se ve algo como un puñal o un lirio escondidos, pero la tranquilidad del presunto criminal siembra la duda en sus acusadores.

Dos lágrimas ruedan por sus mejillas.

—Es él, es él —gritan algunos.

—No es él, no es él —gritan otros.

Un redoble de tambores viene bajando por el cielo como si cayera una lluvia de piedras en la luna.

El acusado permanece imperturbable. Con los ojos grandes fijos, sin un pestañeo, aun en el momento en que siente una corona que empieza a nacer en torno de su frente.

Todos miran hacia las calles. Va cruzando el cortejo brotado de la explosión triunfal. Las banderas desplegadas como el viento. Todos miran pero él ni siquiera mueve los ojos.

—Al criminal. Al criminal.

Cuando la muchedumbre se lanzó encima, mil puños levantados fueron a estrellarse en una estatua de mármol que miraba fijamente al horizonte.

Entonces en el horizonte apareció un cometa con un largo manto de luciérnagas y empezó a levantarse sobre el cielo que lo recibía con los brazos abiertos.

A los pocos minutos en el fondo del mismo horizonte se abrió una ventana y se asomó la novia con los ojos hermosos adormilados mirando al cometa y tratando de adivinar el presagio, acaso doloroso, que anunciaba su presencia entre los hombres. ¿Qué signos mágicos hace la novia con sus manos blancas como el cielo? Tiene en su mano derecha un diamante perfecto del cual empieza a brotar una fuente de aguas que corre mansa hacia nosotros.

De pronto un alarido ensordecedor se eleva en los aires.

—A la guillotina. La guillotina, la guillotina.

Momentos más tarde, cuando ante la muchedumbre sedienta de sangre, el cuchillo fatal cortaba la cabeza de mármol del acusado, un inmenso chorro de luz manaba de su cuello interminablemente.

Al mismo instante hubo en el cielo un espantoso terremoto*. Se rompían las estrellas en mil pedazos, se incendiaban los

* La versión francesa aquí es más fiel al título del libro: «Au même instant il y eût dans le ciel un épouvantable tremblement».

157

planetas, volaban trozos de lunas, saltaban carbones encendidos de los volcanes de otros astros y venían a veces a clavarse chirriando en los ojos desorbitados de los hombres.

La muchedumbre huía despavorida. Unos se escondían pidiendo auxilio bajo la tierra, otros caían de rodillas golpeándose el pecho y clamando perdón con los brazos levantados al firmamento.

El chorro de luz seguía manando del cuello del ajusticiado sobre la plataforma de la muerte.

* * *

En medio de la catástrofe y de la confusión general unos brazos más poderosos que cien mares se apretaron en mi cuello.

—Isolda, Isolda ¿eres tú?

—Cuántos años lejos el uno del otro.

—Se ha necesitado una hecatombe semejante para volver a encontrarnos.

—Tú, árbol de la sabiduría, con los ojos maduros en la puerta del sueño y ese andar de elefante con pies de ídolo.

—A ver tus senos. Muéstrame los senos.

—Siempre esperando la edad de las maravillas como la paloma del mago.

—Dame a besar tus senos.

El ángel prisionero rompe sus cadenas y vuela en los aires perseguido, en vano, por algunos fusiles inexpertos.

Poderosa y solitaria vuelve a caer la noche. Las serpientes iluminadas de la tempestad corren a saltos en pos del ángel libertado imposible de atrapar.

Isolda se aprieta a mí, se incrusta entre mis brazos.

En la fragua de los relámpagos se oyen los martillazos con que la borrasca está labrando la corona para mi cabeza de rey.

¡Cuántos ciegos habrá hecho esta corona demasiado brillante!

Innumerables son los que al mirarla contemplan la última visión de su vida. El precioso gigante que agoniza sobre el mar, sólo pide mirarla para volver a la vida o morir tranquilo.

Son muchas las visiones grabadas en ella como en un friso. En ella se ve el cuerpo de una mujer ardiendo en el incendio que se levanta de sus propias carnes y no hay manera de apagar las llamas.

Y tantas otras visiones. Como aquélla de los enanos que pasan volando llevando sobre los hombros el ataúd de un Titán.

Y aquélla de la isla arrancada por el viento que cae sobre la ciudad.

Y aquélla del rayo entretejido en la lluvia de la borrasca.

Y aquélla de las palmeras dobladas bajo las ruedas del huracán.

Y aquélla de la montaña de nubes que se detiene tanto tiempo que empieza a crecer en ella una dulce vegetación.

Y aquélla de la noche amarga en que se está muriendo alguien.

Creo que es llegado el momento de pensar en la noche en que nos estaremos muriendo nosotros.

—Isolda, te amo y a través de todas las otras sólo he buscado amarte más.

Amarga es la noche y profundo el abismo donde tus brazos me arrojaron. Voy cayendo crispado con las manos desesperadas como un Niágara irremisiblemente perdido.

Las espumas me salpican el rostro antes de llegar al fondo. El ruido me aturde las orejas, me rebota en el cerebro antes de que mi cuerpo se rompa en pedazos en el fondo.

Sin embargo, aún sonrío esperando que de un momento a otro mi cuerpo pueda sentirse más ligero que el aire.

O que caiga un lazo de quién sabe qué estrella y me pesque y me levante en el momento mismo de ir a tocar el suelo.

—Isolda, he aquí la actitud del hombre perfecto.

El viento me mece de un lado para otro. Abajo, las miradas de los hombres me atan a su pavor terrestre en una llanura triste en la cual se ve una casa sola allá lejos y una humareda que trata de levantar la casa al cielo.

La casa del crimen jamás podrá despegarse de su pedazo de región. Sin embargo, a pesar de que el espectáculo ahora se ha puesto bastante lamentable, la noche es más brillante que nunca, no hay un puesto libre en todo el cielo. ¿Y esto para ver qué?

La garganta de la hermosa mujer tiene la forma de una canción.

Y ella cantará, cantará segura de que yo no he de morir aún. Cantará a pesar de la estación demasiado avanzada, a pesar de la noche que rueda de las montañas, a pesar de las dificultades del terreno. Cantará.

Y el niño dejará de llorar sobre su pequeño navío blanco. Y saldrá una estrella finísima encima de su cabeza, al fondo de la alcoba, más allá de sus almohadas sensibles, en los arrecifes verdaderos de su último sueño.

Tal vez oigamos la voz confundida en un canto enorme porque el mar está tendido sobre varias pianolas y a veces se abandona a sus propios instintos.

Entonces llega la hora de la transfiguración. El mar suda y se retuerce de un íntimo dolor. Cada ola se convierte en ángel y vuela.

¡Ay de aquél que osó levantar la mano sobre el mar!

Vosotros no lo sabéis y por eso os lo digo: en las noches cuando nadie lo mira, el mar se convierte en un gran monumento y dicen que en la punta se alza de pie, solemne, la estatua de sí mismo.

Nadie sabrá nunca cuál es la verdad, ni tampoco el número de errores que maneja cada hombre en todos los instantes de su vida.

¿Sobre qué cantidad de errores descansa cada invento del hombre?

Esos inventos más hermosos que una chispa eléctrica y que las piernas de una mujer. Aquí se inclinan todos los

160

sabios, aquí se arrodillan los profetas, aquí canta el gallo y donde termina su canto nace un paisaje como todos sabéis. Después sólo se ven las manos de los náufragos aferradas a las olas y una botella que flota y se aleja para contar la historia de tanta angustia.

¡Isolda, si tú supieras!

El cielo ha cambiado siete veces. Y volverá a cambiar a causa del mar. Porque el mar se ha convertido en globo y soltó sus amarras y se fue por el cielo.

¿Qué sacáis con apuntar vuestros cañones y con tocar las campanas?

En el horizonte, el sol que se pone extiende la mano y nos mira apenas detrás de sus cinco dedos separados como los rayos de una rueda. ¿Qué podemos hacer?

Sobre el campo desierto cae el huevo de una águila que pasaba volando sin saber adónde dirigir sus pasos. Ése será el campo de la fecundidad durante algunos años y acaso allí mismo nazca una gran capital.

Los telescopios se levantan y se pierden en la eternidad. El cielo se desnuda. Cruzan aerolitos y relámpagos más allá de la Vía Láctea, pasa el cortejo ceremonioso de los cometas y nadie teme ya la cólera de Dios.

El cielo se desnuda y se ven los ojos agonizantes del que todo lo creó.

El cielo se desnuda y se ve el fantasma nocturno que lleva a los astros el alimento cotidiano.

El cielo se desnuda y se ve la gruta de candelabros en cuyo centro duerme la mujer de carne que todos conocemos envuelta en sus cabellos.

Pasan las cebras sonámbulas al galope y se ven las ventanas que se abren en la oscuridad como parásitos pegadas a la noche.

¡Ah, si tú supieras! Yo estoy escondido adentro de tu sombra. Yo soy el árbol recién nacido adentro de tus ojos. Soy el niño de pies desnudos como estatua que grita en el naufragio entre los reflejos impasibles.

Soy el espectro que se aleja guiado por sus palomas, esas palomas llenas de sabiduría que se nutren de la luz de los faroles titubeantes.

Héme aquí fatigado y terrible, más terrible que el barco desahuciado que se aleja aullando por el cielo y muere dulcemente como un hombre o como un perro cuando siente por primera vez el peso de su esqueleto debajo de la carne.

¡Ah, si tú vieras! Cuando se abre el vientre materno como una jaula y la mujer levanta los brazos al infinito ofreciendo todos los vuelos futuros.

Si tú vieras. Los tejados temblorosos antes de levantarse para siempre. Los tejados que se irán quién sabe adónde con su carga de nubes.

Si tú vieras ahora el insecto que salta al contacto de dos cables vengativos y puede tomar hasta forma de hombre para el ojo que mira con atención.

Y la inconciencia de la noche rodeada por un canal profundo; la inconsciencia de los árboles que se baten frecuentemente. Cuántas veces los he visto tirarse del pelo e insultarse por un pájaro.

Ante tales misterios, ante tales fuerzas ocultas, la inconsciencia del mar que podría de repente partirse por la mitad, es algo increíble.

Pero tú sabes que llegará el día en que serán tocados por la gracia como las montañas y entonces cada uno tendrá una aureola en torno.

Entonces veremos a las niñas que salen del colegio, en un vuelo liviano con las trenzas al viento hacia el volantín que las aguarda a la entrada del volcán.

Veremos la estatua que se pasea sobre las casas, lavada por la lluvia como las heridas del guerrero. Veremos las transformaciones del silencio y los éxtasis del que contempla los juegos del ocaso y luego la estrella parpadeando en la corriente de aire.

Mas sólo el hombre que agoniza verá una flor agitando las manos adentro del vientre de la mujer amada. Y después se beberá la muerte de un sorbo.

La mujer podrá alejarse barriendo la vida con sus faldas, podrá esperar desnuda encima de la noche, con toda su hermosura en libertad.

Ella podrá asomarse al balcón de su belleza, podrá pasearse con su espalda blanca llena de nocturnos sin importarle que la lluvia caiga sobre sus huesos, la lluvia donde raras veces pueden colgarse los ahorcados. Pero ella huele la tristeza, oye la voz de las tumbas y abre la boca para morder la muerte.

El hombre que se acerca tiene atados los ojos y levanta un himno o una planta acuática en la mano.

Todos los puentes se derrumban y la reina no puede pasar, la reina con el cerebro perfumado por sus pensamientos, la reina con los ojos azules olientes a mar.

Por sus poros escapa la fiebre y sus cinco sentidos se mueren a la puerta misma del misterio.

Sólo el seno del corazón sigue viviendo, rodeado de sus vasallos, con todos sus mitos de estatua. Sigue viviendo y mirando, mirando como un ojo desorbitado, sin obedecer las órdenes del Creador que truena desde el fondo de su sueño.

¡Cuántos sacos de oro amontona el avaro en su caverna para comprar ese seno que flotará hasta el fin de los siglos en su barrica llena de recuerdos!

Acaso un niño inexperto con los labios envenenados de quimeras va a morderlo ahora que tantas manos se tienden hacia él. Acaso va a librar una batalla encarnizada, fuera de sus años, por el sexo que se adivina, paseando bajo las ropas de sombra.

Ella es el fantasma de piel transparente que no tiene rostro, sino un vacío redondo entre el pelo y el cuello.

Huye, niño delicado, con tu corona de caricias en la cabeza. Huye, te digo, a las cavernas del polo y canta mientras la hermosa legendaria escucha el sonido de las balas que corren tras ella.

* * *

Tendida la red de seno a seno otras han podido esperar.

Durante la noche, el precioso temblor se esconde en las grutas marinas. Allí baja el buscador de perlas, y a veces, ha encontrado tendidas sobre las aguas a la joven legendaria con los brazos atados. Entonces vuelve a subir la escala que cuelga de la noche y se pierde en la zona de los pájaros agoreros.

Desde la más alta roca puede lanzar una cuerda a la mujer crucificada en sus despojos y levantarla hasta la cima de los árboles donde trepan angustiados los que llevan aún el recuerdo del diluvio.

Corred a secaros en la boca del volcán que pronto levantará sus banderas en señal de triunfo.

Niño terrestre, cuando tratas de conciliar las alas con tus ojos humedecidos, olvidas las florecencias del laberinto interno, olvidas la caverna luminosa de los poseídos.

El volcán sabrá recordarte lo que olvidas y te lanzará una flor a la memoria y entonces verás pasar ante ti todo el universo como el salvaje parado en la montaña mira pasar el huracán o el río lleno de árboles desgajados.

La mujer que todos conocemos se alejará de ti por la orilla de los astros errantes con la carga de su cabellera en las espaldas, se alejará bajo una luna que se hincha por glotonería o acaso por la lluvia periódica de las nieves eternas. Se alejará la mujer con un cadáver precioso bajo el brazo y verá venir hacia ella de pronto una isla de colores violentos.

Su cabellera augusta caerá sobre el mar entre las algas milenarias. Se vestirá de la locura con toda su luz propia y será como la pantalla de seda que mira el moribundo.

Entretanto, el otro, en su cárcel de sabiduría, no podrá levantar los ojos sin ver sobre cada libro, sobre cada microscopio la estatua de senos enormes y vientre pulido que anima su propio corazón.

Ésa es la estatua del alcohol vivo que brota de sus poros y cae en cascada hasta los pies encadenados.

Y ese juego que habéis creído que es el juego de la vida, no es sino el juego de la muerte.

He ahí al hombre sobre la mujer desde el principio del mundo, hasta el fin del mundo. El hombre sobre la mujer eternamente como la piedra encima de la tumba.

No otra cosa sois que la muerte sobre la muerte. Contempla el gesto de espasmo de aquella que se muere en la muerte.

Así pues, atraviesas la vida encerrada adentro de la muerte.

—Isolda, en vano suspiras en la noche, en vano gritas mi nombre cuando ya no oigo, cuando un sudor de sangre me cubre las orejas, cuando el cielo se vacía en mi retina. Todo hombre es un cobarde. No creas en los excepcionales que te pinta el sueño caído de otros astros menos palpables. El místico es el hombre del pavor, es el hombre que no quiere estar solo, es el que quiere ser dos por miedo a la soledad.

¡Ah, si tú supieras!

Qué no daría yo por hacerles callar con su voz azulada y romperles las formas y los colores del sentimiento eterno o pasajero, siempre dulce, demasiado dulce para el paladar de un náufrago infinito.

Los acontecimientos están por encima de la voz humana. El fenómeno que se condensa ahora en una bandera de mármol es mucho más importante que tus artes, tus artificios y tus artimañas.

El papel de música es un almácigo sin destino. No brotarán de allí las selvas futuras, míralo y verás que apenas marca un viñedo momentáneo.

El mar te trae el ataúd sensible hasta la puerta de tu casa, acaso hasta el mismo borde de tu cama para que te encierres en él con tu preciosa histeria y con tus alaridos, esos alaridos sucios, sucios como las lágrimas de la demostración algebraica del dolor.

Enciérrate en él y que no salga la semilla de tu vientre que podría ser un piano con sus microbios de crepúsculo, un piano de alma turbulenta que salta como champagne.

Levanta los brazos, mujer, y pide perdón a la criatura que se mece entre tus piernas y no quiere saber nada de la luz de tus pequeños faroles domésticos.

Sopla, sopla y apaga esas luces de quimera con una palabra mágica. Sopla y apaga la estatua que ya va a preguntar el camino, que ya quiere saber el tiempo que hará mañana.

Baja el dedo con que ibas a señalar el destino ofrecido, tus experiencias de sombra, mientras un barco está naufragando y salta de tromba en tromba, de abismo en abismo bajo el cielo negro.

Emplea mejor tu tiempo en ondular tus cabellos como un mar sencillo que escucha sus pájaros blandos al cruzar la tarde.

Guarda para la muchedumbre en fiesta hueca acodada en las barandas del puerto tus lecciones nocturnas. Guarda para ella el ceremonial de tus senos que ya no pueden tenerse en sí.

Luego ha de llevarte la carroza del rey con tu vientre y tus piernas, con tu mirada de cometa a través del gentío que te aplaude. ¿Qué más quieres?

El palacio tiene escalinatas que no se sabe dónde terminan, las columnas sostienen ojivas de planeta a planeta y en todos los jarrones hay cabezas cortadas.

A través de las rejas se ve la eternidad dormida con una placidez indescriptible. ¿Qué más quieres?

Ése es tu destino. Deja a cada cual su libertad que está al principio o al final del vuelo como una rama o un puerto. Y ahora calla.

El moribundo aprieta los labios para que no huya el pájaro definitivo a cantar su romanza sobre otras rocas.

Todo obedece a la cadencia de una voz que nadie sabe de dónde cae.

He ahí el destino de la mariposa magnética.

He ahí el esqueleto aguardando pacientemente su hora, escondido en las sombras. El esqueleto final que jugará al ajedrez bajo su casa de tierra, mientras viven sus sombreros en las calles ajenas.

Y podéis llorar porque semejante es el horóscopo del árbol.

Esconded las caricias en las cavernas de los pájaros polares en donde el hombre se clava estalactitas en los ojos y la mujer corre saltando entre los icebergs.

—Isolda, ya viene el huracán asolando el cementerio de las miradas, ya viene el huracán con la velocidad de los planetas lanzados al destino.

Escondámonos en las más hondas catacumbas y allí grabemos nuestro nombre en las piedras sensibles junto al nicho en donde debemos acostarnos por la eternidad.

Allí los curiosos de mañana encontrarán nuestras calaveras y nuestros huesos mezclados.

Sangra la frente del Tiempo en la oscuridad sin reposo de la noche, sangra destrozada por montañas de espinas.

¡Qué importa!

En la terraza de la última cima mi garganta estuvo tragándose todos los truenos del cielo y mis dedos acariciaron el lomo de los relámpagos, mientras el sol detrás de la noche rehacía sus huestes y se preparaba para el ataque del día siguiente.

¿Oyes el ruido de las olas que se estrellan a causa de la oscuridad?

No temas. Vámonos. Es el velero de la muerte. El monstruo amado se acerca y viene a lamer nuestras manos.

La tierra es dulce y blanda como el colchón de la eternidad.

La esposa nos invita a la fiesta de sus entrañas. Su beso tiene gusto a labios de Dios y ha de llevarnos más lejos de lo que nadie puede sospechar.

Ahora pasas y yo veo adentro de tu corazón iluminado las arborescencias geológicas que marcan tu edad sobre la tierra.

167

¿Oyes el ruido de las olas que se estrellan en la noche? ¿Oyes el ruido de las olas que se rompen la cabeza?

Ahora pasas y te pierdes en los paisajes ayer inexpugnables, te vas por los caminos aún vivos y tan equívocos como siempre.

Ya te encontrarás al fantasma que grita: Sálvese el que pueda, y arroja sus sentimientos y sus recuerdos por la borda para hacerse más liviano.

Te encontrarás también al que bota sus años como el lastre de un globo y luego canta su inconciencia con una voz de novio encadenado y satisfecho.

Te encontrarás al hombre que todo lo sabe, el hombre repugnante que nada ignora, que siempre tiene una respuesta pronta, la palabra madura en la rama de los labios, el hombre que ha estudiado las entrañas de la flor, que conoce el pasado, el presente y el futuro y la genealogía de cada ola.

A pesar de todo, el Misterio se presentará vestido con sus trajes de lujo. La alegría delicada de sus senos palpitantes o el dolor de sus ojos que sólo quieren libertarse, no han de temer a semejantes rivales.

Mujer, mira mis ojos, estos ojos condenados a cadena perpetua.

Y piensa que yo podría entrar en Dios como el buzo en el mar.

Pero no hay un Dios suficientemente profundo para mi corazón, para la angustia de este corazón habituado a las más grandes olas y el corazón prefiere vegetar en su puerto y pudrirse entre las algas.

No creas que tengo miedo.

Ni un temblor me sacude cuando se abren grandes mis ojos y ven lo que se ve en el momento de morir. Porque yo he visto lo que vosotros sólo veréis entonces.

No tengo miedo. Sólo me estremezco cuando a veces encuentro mi voz en un hombre de antaño.

—Isolda, mírame en la batalla, mírame en el instante más deseperado, cuando todo está perdido. Entonces sí, soy yo y seguramente me veo más hermoso que un buque luchando a muerte contra el mar.

Así digo y me preparo a ser raíz, mientras la tierra huye bramando por el cielo... Mientras la luna mira de reojo y el aire pierde sus límites propios.

¿Qué hacéis allí vosotros vestidos de negro? Estáis a la puerta de mi casa esperando mi entierro con coronas y laureles de fiesta. ¿Y si yo ordeno que mi cadáver se arroje a los perros?

* * *

Todo peso es inútil y el recuerdo sólo entorpece la marcha y dobla las espaldas.

Cuelgan de nuestros cuellos tantos brazos y senos y ojos de vírgenes legendarias que nuestros labios toman forma de flor obsesionada.

Es forzoso el crimen si queréis volar otra vez. Un rítmico asesinato de gimnasta o el malabarismo del prestidigitador que sabe apagar las llamaradas en el vientre o cambiarlas de sitio en el minuto preciso, haciéndolas surgir en el violín del más descuidado. De allí subirán en escalas delicadas hasta las últimas cimas.

Envuelto en lazos de fuego el que pueda danzar será el preferido y sólo él sabrá envolver a la joven legendaria en espirales de serpiente. Allí quedará embrujada hasta el fin de los siglos.

Y habéis de saber que el peso del alarido no podrá romper los círculos luminosos cuando llegue la macabra estación y se vea el desfile de los espectros hacia el polo.

Después vendrá la fiesta de las madres y la fiesta de las novias paradas arriba de la torre con los ojos llenos de ceremonias íntimas, los ojos abiertos para que nazcan cómodamente los cuatro puntos cardinales que luego crecen sin medida y desbordan del mundo.

¡Ah, si tú supieras! Las manos del soliloquio se levantan hasta la frente y hacen toldo a los ojos para mirar más lejos.

169

¿Todo esto para qué? Pronto vendrán las lágrimas y una muerte a escoger en la variedad seleccionada por los siglos.

¿Oyes clavar el ataúd nocturno? ¿Ves a la hermosa desnuda en su acuario de muerte?

La circunferencia del suspiro en donde creímos sepultar todo aquel pasado puede poblarse de una vegetación tropical y de una fauna vertiginosa.

Crecerán flores debajo del acuario, crecerán flores debajo de las tierras del cementerio y un día aparecerá sobre la tierra el ataúd más viejo levantado en brazos de olores como tallos robustos.

—Isolda, el peso de las lágrimas no puede romper el mármol. Pero he ahí lo que hizo el milagro de la memoria musculosa.

¿Oyes clavar el ataúd nocturno?

Tú eres el caballo que monta la noche para sus más largas marchas.

Sin embargo nunca llegarás al fin. Recorrerás toda la historia de los hombres y no encontrarás lo que buscabas.

La cultura física de los sepultureros hace liviano el mundo y soportable el espectáculo. Sabemos que la lluvia de tierra será eterna, sabemos que el otoño será una fuente de hojas siempre viva, una cascada interminable entre las ramas, sabemos que el invierno alargará su polo a nuestros ojos cuando los juegos de agua se conviertan en estatuas en medio de las llanuras más blancas que la luna. Sabemos que allá lejos al borde del Invierno se verán los ojos de la que aguarda en vano y olvidó que la culpa era suya o por lo menos debía partirse en dos mitades semejantes.

Volará el invierno agitando sus alas pesadas de quién sabe qué metal desconocido y ello sólo porque tú supiste pedir perdón.

Volverán a cruzar las caravanas legendarias que no tienen más título de nobleza que su propia antigüedad, su experiencia indiscutible semejante a las pirámides o al sillón del mandarín que ha oído pasar la música de tantos

170

siglos sin destino aparente a su mirada porque ella estaba siempre fija en los senos desnudos de la bella torturada que se retuerce tendida sobre las planchas infernales.

A veces antes del fin deseado aparece el hospital abierto y ordenado en su blancura como un restaurante con sus mesas que esperan la igualdad del sentimiento.

Parte el tren inesperado a la satisfacción de sus deseos. En todas partes aguarda anhelante el fusil en la mano temblorosa.

A veces la emboscada camina hacia nosotros, a veces se aleja en otras direcciones y parece no habernos visto o bien habernos olvidado.

A veces el ladrón huye llevando la mano y los senos cortados de la hermosa legendaria en sus bolsillos, otras veces huye el doctor con la valija en donde escondió los ojos de la amada inolvidable.

El camino sigue derecho y sólo se corta en el mar. Allí están las barcas aguardando apoyadas en la baranda del crepúsculo. En el momento del partir definitivo vuelve a aparecer la joven viajera con la cabeza rodeada de siete arco-iris, arrastrando a su marcha el coro de suplicantes que se nutren de su aliento precioso.

Ella quiere que todos vivan preocupados de sus ojos comunicantes, de su cuello rodeado de encajes melodiosos, de sus espaldas rodeadas de pieles magnéticas y de su sombrero de arco-iris.

Ella, cuando ve nuestros ojos agujereados por la luz, se asusta, sus huesos tiemblan debajo de la carne preparada a las catástrofes.

Los instrumentos de tortura son todos semejantes en la base interna de su razón de ser. Hasta las palomas que vuelan de cielo en cielo saben esto desde su más tierna infancia.

La bella legendaria encadenada a sus senos vive en la inocencia de sus cabellos volátiles. Nunca ha mirado a la golondrina desesperada en su bocal de aire, ni otros pájaros semejantes que quieren romper la atmósfera terrestre y huir para siempre de nuestro lado.

Inclina su cabeza bajo los tatuajes del cielo y nada ve. Apenas podría decirse que siente las cadenas de su vientre.

¿Y esto sabéis por qué? Porque no falta alguna muerta despedazada por los puñales del fantasma escondido detrás de sus cortinas, que haga al fin, el gesto de rechazar y de volver el rostro con naturalidad.

Todas las novias duermen en el mismo lecho.

Allí están durmiendo cruzadas por el mismo sueño con los ojos acuáticos nadando entre las mismas algas submarinas. Desde el principio del mundo las hojas de la virginidad van cayendo fuera de su otoño propio, sin razón ninguna.

La lámpara que vela es semejante a una medusa con los ojos heridos. Y ellas no comprenden.

En la ventana abierta la mano del esqueleto tiende los dedos para atraer los pájaros perdidos sin remedio a causa de sus impulsos migratorios o de los imanes de la selva. Y ellas no comprenden.

Mueren los pájaros atragantados por su propio instrumento musical, ese instrumento a cuyo son acompasado crecen nuestras vértebras y asciende la savia hasta la cima del cerebro para alimentar las luminarias a la presión debida. Y ellas no comprenden.

Afuera las multitudes se amontonan y se disputan ferozmente los peldaños del santuario milagroso. Suben de rodillas por las escalas de sus himnos y tratan de besar las garras del dragón convulsionado.

El capitán de los lirios defiende los derechos de su casta y seguirá perfumando, mientras viva y el triunfo sea suyo. En cambio, la mujer desnuda es arrojada a golpes desde arriba y va azotando sus senos en los peldaños donde se quiebran sus lamentos.

Así un día caerá de improviso en la sala del consejo cuando el rey discute con sus favoritos. Ella será la llave del misterio, porque la verdad escapa con la sangre de sus heridas.

Allí está la luz, la luz que los monjes no quisieron ver, preocupados sólo de recoger todo el maná posible y responder a los saludos del dragón.

Cegados por los relámpagos del Dios que estaban adorando quedaron convertidos en estatua. Ése debía ser su triste fin porque la esfinge no paga las visitas y ni siquiera abre los ojos para mirar el cataclismo.

Huye de aquí. Atraviesa el río inmenso con la corneja al hombro, el río que pasa como un tren y sigue su marcha hasta el infinito.

Atraviesa el río que corre entre palmeras y cigüeñas, palmeras más grandes que los ojos de la amada, el río que no conoces, ese que te señalo, ese que en la noche se llena de linternas mágicas y se duerme bajo su toldo propio si la pastora impasible sabe cantarle junto al oído.

—Isolda ¿cuál es tu voz y cuál debiera ser? ¿En dónde está tu voz y en dónde debiera estar?

Harás un arpa de las ramas y espantarás a las abejas. Te quedarás sola en medio de los espectros que has sabido atraer con tus encantos. Tus dedos delicados arrancarán sus mejores melodías a las hojas temblantes y tus ojos allá arriba mirarán el mundo como la hostia en la custodia.

No dejes que la luna te desnude, ni que te cuelguen de cualquiera estrella lo mismo que los ahorcados por hermosos delitos, los ahorcados que se columpian sobre la eternidad.

¡Qué te importa si el galán se arroja de la torre y pierde la vista en el camino!

Déjalo en paz. Dirás que sus ojos supieron morir con un sobrio heroísmo. No faltará quien recoja los cantos del galán volcánico, ni quien encienda una bujía en su memoria o ponga una corona amenazante en su cabeza de muerto en donde sólo los ojos guardan aún una cierta vida y se levantan en puntillas todas las mañanas para ir a sembrar la agitación en tu pecho endurecido.

Cantas ¡oh inconsciente! mientras agonizan las serpientes de tus brazos como las bayaderas de los templos.

Las olas son lentas para morir.

¿Oyes clavar el ataúd del mar?

—Isolda, aquélla otra, también murió. Él, el culpable se aleja por el último camino acompañado de sus crímenes.

Todas murieron. Fueron desembarcando las estatuas en las diversas estaciones.

Con la sonrisa atada aquélla se quedó en medio de los campos. Pero hay una, hay una que encalló en las arenas de mi memoria y se sustenta de mis células.

Un día volamos enlazados sobre las cimas efervescentes. Juntos rodamos al abismo ilimitado y allí elevamos las brujerías del sexo a un rito de naufragio sin defensa.

Cinco meses mi cabeza durmió sobre su vientre. Aquel nudo de arterias y de huesos hacía crujir nuestra fortuna desde el encuentro luminoso. Desde entonces vivo siguiendo su entierro.

Voy bajando la escala de su recuerdo que cada día se hace más larga y cada hora más propicia, entretejida por estrellas que le dieron toda su luz antes de morir, que se desangraron por ella sin esperar recompensa alguna.

—Isolda, a veces quisiera ahogarme en un océano de mujeres.

Reina la noche en las dos orillas de tu mirada y yo me paseo por el mundo, me paseo en silencio, me paseo semejante a la soledad de un muerto.

Me paseo por el mundo sin mirar el mundo, me paseo por el mundo sin oír el mundo, me paseo semejante a la dignidad de un muerto.

¿Oyes? Están clavando mi ataúd. ¿Oyes cómo clavan mi ataúd? ¿Cómo encierran la noche en mi ataúd, la noche que será mía hasta el fin de los siglos?

Soy lento, lento para morir.

No temo a la nada ni la temería aunque no tuviera la seguridad de seguir en mi eco, de seguir intangible rodando de eco en eco.

—Isolda, tú has de encontrarme aún varias veces en muchos caminos de la eternidad.

Y también me econtraréis algunos de vosotros llevando los ojos culpables, atados con esposas y forcejeando para romperlas.

Mirad el muerto que se levanta en alta mar. Oíd la voz del muerto que se yergue entre su sudario de olas.

Mirad al muerto que se levanta en la cumbre de la montaña.

Oíd, oíd la voz de los muertos.

La gran voz de los abuelos, la negra voz que tiene su raíz en lo más profundo de la tierra y que demora años y siglos en llegar a la superficie y más años y más siglos en encontrar una garganta preparada.

La garganta poderosa que sea como una trompeta. La trompeta de las edades, la trompeta de todos los que han sufrido, de todos los que han temblado en sudores de sangre sobre el terror o el desaliento, la trompeta de todos los dolores, de todos los rencores, de todas las venganzas. La trompeta de raíces pavorosas.

Oíd, oíd la voz de las tinieblas. Por mi garganta la tiniebla vuelve a la luz.

Entrad a vuestra propia caverna vertiginosa, bajad sin cloroformo a vuestras íntimas profundidades. La sangre tiene luz propia y los huesos despiden chispas a causa de un fósforo afiebrado semejante a un contacto eléctrico.

Señoras y señores: Hay un muerto que aplasta sus cabellos bajo la cabeza adentro de su ataúd. Vosotros tenéis hermosos dientes para decir hermosas palabras.

Señoras y señores: Hay un pájaro que se abre en pleno vuelo y nos arroja la eternidad. Nos arroja entre sangre y vísceras la eternidad como un excremento.

El pájaro adivinado por los astrónomos conoce todos los secretos.

Señoras y señores: Hay un muerto que está deviniendo esqueleto en su ataúd. Las emanaciones de la carne rasgan la madera y hacen oscilar las puertas de piedra.

Habéis oído crujir las puertas de la tumba y habéis pensado que a dos metros de profundidad hay una ciudad de esqueletos plácidos y calaveras mordedoras. Hay una ciudad de rostros de cera y manos de cera. El polvo secular de vuestros huesos endurece las noches y cae como el tiempo en vuestra clepsidra interna porque vuestra sombra tiene la forma de la noche y es una pequeña noche en marcha.

Estáis allí en esa interminable posición en que quedáis después de haber bebido el vaso de infinito que destila el vacío y que os convierte en ceniza respetable de antepasado inmemorial. De todas esas cenizas puede el azar hacer un astro nuevo.

Y yo os digo, queridos oyentes, que el esqueleto desgraciado que es vuestro huésped nunca verá la luz pues pasará el ataúd de vuestra carne al ataúd del sepulcro. Así, lleváis un prisionero atado en vuestro calabozo vagabundo y sin piedad. Mala suerte es ésta de ir en hombros de esa armazón que ha de vengarse y que sólo acecha el momento favorable.

El prisionero tiene sed de temperatura como la hermana ardiente, siente delirios de cielo en sus adentros, quiere salir de ese atardecer constante, saltar en un graznido salvaje como el volcán salta del fondo de la tierra y no se detiene hasta que llega a la luz, como el espanto adivinatorio brota del pecho y sube hasta los labios y los ojos convertidos en llagas de silencio. Vuestros huesos, ebrios de soledad, sienten los rumores del rocío en la sangre y adivinan que ellos son la última música, el postrer silbato después del fin del mundo sólo semejante a la sirena de un barco naufragado que sonara de repente en el fondo del mar.

Y cuando los huesos, señoras y señores, rompan los lazos que los atan entre sí como las constelaciones, harán un ruido fabuloso, un ruido de catástrofe para los oídos afinados, más violento que aquél de las lejanías que se libertan y se alejan al galope. Tal es el ansia del prisionero evadido que hace aullar los caminos y que asusta al tiempo sin entrañas, al tiempo que hace gestos de universo.

Señoras y señores: la culebra de los naufragios se muerde la cola y se agranda, se agranda hasta el infinito. Adentro de sus círculos estamos nosotros sorbidos por el abismo de la futura podredumbre, arrojando pus por nuestros ojos como espuma de playas. En tanto, los paisajes internos sienten el vuelo de los árboles, nuestros oídos antes de despegarse y caer como hojas alcanzan a oír el torbellino de las espigas que se ahondan. No hay esperanza de reposo. En vano el esqueleto detrás de su vidrio toma la actitud hierática del que va a cantar. Las puertas internas del planeta se cubren los oídos con violencia como el enfermero que oye los alaridos de la terrible aventura en la última frontera. Nada se gana con pensar que acaso detrás de la muralla abstracta se extiende la zona voluptuosa del asombro.

No, no encontraréis al anciano sentado sobre las rocas de la nevazón eterna, sonriendo sin dureza y rodeado de héroes meditativos como palmeras.

Dos palabras aún, amigos míos, antes de terminar: Vanas son nuestras luchas y nuestras discusiones, vana la fosforencia de nuestras espadas y de nuestras palabras. Sólo el ataúd tiene razón. La victoria es del cementerio. El triunfo sólo florece en el sembrado misterioso.

Así fue el discurso que habéis llamado macabro sin razón alguna, el bello discurso del presentador de la nada.

Pasad. Seguid vuestro camino como yo sigo ahora.

Soy demasiado lento para morir.

Sin embargo, Isolda, prepara tus lágrimas. Lejana enternecida como un piano de remordimientos, prepara tus mejores lágrimas.

Soy lento para morir. La estatua se pasea sobre el mar y el viento cierra mis párpados en señal de gloria penetrante.

Una montaña ocupa la mitad de mi pecho.

Yo llevo un corazón demasiado grande para vosotros. Vosotros habéis medido vuestras montañas, vosotros sabéis que el Gaurizankar tiene 8.800 metros de altura, pero vosotros no sabéis ni sabréis jamás la altura de mi corazón.

Sin embargo, mañana en el fondo de la tierra escucharé vuestros pasos.

¿Quién turbará el silencio? Acallad ese ruido insolente.

Son mis antepasados que bailan sobre mi tumba. Son mis abuelos que tocan a rebato para despertarme.

Es el jefe de la tribu que se encuentra solo y que llora.

Acallad vuestros gritos inútiles.

Hénos al fin dormidos en el sexo de la tierra.

Desde entonces vive el cataclismo en las ciudades. Caen las murallas y los techos dejando ver pueblos enteros desnudos en diversas actitudes, las más de las veces implorando misericordia.

Asoman brazos y piernas entre escombros.

Hubo también entonces un derrumbe en el cielo.

Cuántos pájaros murieron aplastados.

Días después las gentes se paseaban mirando las ruinas. No quedó una sonrisa en pie. Pasaban los fantasmas con los ojos cubiertos aullando, y un hombre enloquecido saltaba de cabeza en cabeza con el puñal en la mano buscando a un dios culpable.

Sudad, esclavos, levantad las ciudades futuras. Yo entre tanto miro la carrera de las selvas. Yo contemplo el pirata del ocaso y su lento suplicio.

Medid la tierra para saber cuántos milagros caben. Adornad los volcanes, embanderad los ríos, horadad las montañas. Vosotros me diréis mañana cuántos fantasmas se pueden enterrar aún con todos sus sueños.

—Despierta, Isolda, antes que venga la revuelta final y tu lecho quede acribillado por las balas porque nadie cree en tu verdad.

Será preciso, te digo, que tu gracia se levante entre cadáveres, tu gracia cogida en las ruedas del motín, mientras el fuego lo destruye todo y empieza a lamer el horizonte y a trepar por el cielo.

Se doblan las torres bajo la lluvia ilimitada. Vuelan techos ardiendo.

Todo ha de pasar.

De borde a borde el mundo está en silencio. Pero hay algo que aún nos busca en todas partes.

Arad la tierra para sembrar prodigios. Lanzad escalas por todos los abismos.

Decidme ¿qué utilidad presenta la esperanza? Se alejan los veleros en su gólgota interminable, por miedo a la borrasca. Atrás se queda todo.

La canoa que debe perecer va subiendo la última ola.

El cielo es lento para morir.

¿Oyes clavar el ataúd del cielo?

Apéndice

«La poesía»*

(Fragmento de una conferencia leída
en el Ateneo de Madrid el año 1921)

Aparte de la significación gramatical del lenguaje, hay otra, una significación mágica que es la única que nos interesa. Uno es el lenguaje objetivo que sirve para nombrar las cosas del mundo sin sacarlas fuera de su calidad de inventario; el otro rompe esa norma convencional y en él las palabras pierden su representación estricta para adquirir otra más profunda y como rodeada de un aura luminosa que debe elevar al lector del plano habitual y envolverlo en una atmósfera encantada.

En todas las cosas hay una palabra interna, una palabra latente y que está debajo de la palabra que las designa. Ésa es la palabra que debe descubrir el poeta.

La poesía es el vocablo virgen de todo prejuicio; el verbo creado y creador, la palabra recién nacida. Ella se desarrolla en el alba primera del mundo. Su precisión no consiste en denominar las cosas, sino en no alejarse del alba.

Su vocabulario es infinito porque ella no cree en la certeza sino en las probabilidades. Y su rol es convertir las probabilidades en certeza. Su valor está marcado por la distancia que va de lo que vemos a lo que imaginamos. Para ello no hay pasado ni futuro.

---

* Publicado primeramente a manera de prefacio a la original edición española de *Temblor de cielo.* El texto no apareció en la versión francesa *(Tremblement de Ciel,* 1932), ni tampoco en *Manifestes* (1925).

El poeta crea fuera del mundo que existe el que debiera existir. Yo tengo derecho a querer ver una flor que anda o un rebaño de ovejas atravesando el arco-iris, y el que quiera negarme este derecho o limitar el campo de mis visiones debe ser considerado un simple inepto.

El poeta hace cambiar de vida a las cosas de la Naturaleza, saca con su red todo aquello que se mueve en el caos de lo innombrado, tiende hilos eléctricos entre las palabras y alumbra de repente rincones desconocidos y todo ese mundo estalla en fantasmas inesperados.

El valor del lenguaje de la poesía está en razón directa de su alejamiento del lenguaje que se habla. Esto es lo que el vulgo no puede comprender porque no quiere aceptar que el poeta trate de expresar sólo lo inexpresable. Lo otro queda para los vecinos de la ciudad. El lector corriente no se da cuenta de que el mundo rebasa fuera del valor de las palabras, que queda siempre un más allá de la vista humana, un campo inmenso lejos de las fórmulas del tráfico diario.

La Poesía es un desafío a la Razón porque ella es la única razón posible. La Poesía no puede inducirnos a error porque la poesía *es* mientras que la razón *está siendo*.

La Poesía está antes del principio del hombre y después del fin del hombre. Ella es el lenguaje del Paraíso y el lenguaje del Juicio Final, ella ordena las ubes de la eternidad, ella es intangible como el tabú del cielo.

La Poesía es el lenguaje del Paraíso. Por eso sólo los que llevan el recuerdo de aquel tiempo, sólo los que no han olvidado los vagidos del parto universal ni los acentos del mundo recién creado, son poetas. Las células del poeta están amasadas en el primer dolor y guardan el ritmo del primer espasmo. En la garganta del poeta el universo busca su voz, una voz inmortal.

El poeta representa el drama angustioso que se realiza entre el mundo y el cerebro humano, entre el mundo y su representación. El que no haya sentido el drama que se juega entre la cosa y la palabra, no podrá comprenderme.

El poeta conoce el eco de los llamados de las cosas a las palabras, ve los lazos sutiles que se tienden las cosas entre sí, *oye las voces secretas que se lanzan unas a otras palabras separadas por distancias inconmensurables*. Hace darse la mano a vocablos enemigos desde el principio del mundo, los agrupa y los obliga a marchar en su rebaño por rebeldes que sean, descubre las alusiones más misteriosas del verbo y las condensa en un plano superior, las entreteje en su discurso en donde lo arbitrario pasa a tomar un rol encantatorio. Allí todo cobra nueva fuerza y así puede penetrar en la carne y dar fiebre al alma. Allí coge ese temblor ardiente de la palabra interna que abre el cerebro del lector y le da alas y lo transporta a un plano superior, lo eleva de rango. Entonces se apodera del alma la fascinación misteriosa y la tremenda majestad.

Las palabras tienen un genio recóndito, un pasado mágico que sólo el poeta sabe descubrir porque él siempre vuelve a la fuente.

El lenguaje se convierte en un ceremonial de conjuro y se presenta en la luminosidad de su desnudez inicial ajena a todo vestuario convencional fijado de antemano.

Toda poesía válida tiende al último límite de la imaginación. Y no sólo de la imaginación, sino del espíritu mismo porque la poesía no es otra cosa que el último horizonte que es, a su vez, la arista en donde los extremos se tocan, *en donde se confunden los llamados contrarios.* Al llegar a ese lindero final el encadenamiento habitual de los fenómenos rompe su lógica y al otro lado, en donde empiezan las tierras del poeta, la cadena se rehace en una lógica nueva.

El poeta os tiende la mano para conduciros más allá del último horizonte, más arriba de la punta de la pirámide, en ese campo que se extiende más allá de lo verdadero y lo falso, más allá de la vida y de la muerte, más allá del espacio y del tiempo, más allá de la razón y la fantasía, más allá del espíritu y la materia.

Allí ha plantado el árbol de sus ojos y desde allí contempla el mundo, desde allí os habla y os descubre los secretos del mundo.

Hay en su garganta un incendio inextinguible.

Hay además ese balanceo de mar entre dos estrellas.

Y hay ese Fiat Lux que lleva clavado en su lengua.

«*Altazur:* fragmento de *Un viaje en paracaídas*»*

Nací a los treinta y tres años, el día de la muerte del Cristo, nací en el Equinoccio bajo las hortensias y los aeroplanos del calor.

Tenía yo un profundo mirar de pichón, de túnel y de automóvil sentimental. Lanzaba suspiros de acróbata.

Mi padre era ciego y sus manos eran más admirables que la noche.

Amo la noche, chambergo de todos los días.

La noche, la noche del día, del día al día siguiente.

Mi madre hablaba como la aurora y como los dirigibles que van a caer. Tenía cabellos color bandera y ojos llenos de navíos lejanos.

Una tarde, cogí mi paracaídas y dije: «Entre una estrella y dos golondrinas».

Mi madre bordaba lágrimas desiertas en los primeros arco-iris.

Y ahora mi paracaídas cae de sueño en sueño.

El primer día, encontré un pájaro desconocido que me dijo: «Si yo fuese dromedario no tendría sed. ¿Qué hora es?» Bebió las gotas de rocío de mis cabellos, me lanzó tres miradas y media y se alejó diciendo: «¡Adiós!» con su pañuelo soberbio.

Hacia las dos de aquel día, encontré un Zepelín, lleno de escamas y caracoles. Buscaba un rincón del cielo donde guarecerse de la lluvia.

---

* Publicado originalmente como «traducción de Jean Emar» en sus «Notas de Arte», *La Nación* (Santiago de Chile), 29 de abril, 1925.

Allá lejos, todos los barcos anclados, en la tinta de la aurora. De pronto, comenzaron a desprenderse, uno a uno, arrastrando como pabellón, girones de aurora incontestable.

Junto con marcharse los últimos, la aurora desapareció, tras algunas olas desmesuradamente infladas.

Entonces oí hablar al Creador, sin nombre, que es un simple hueco en el vacío, hermoso como un ombligo.

«Hice un gran ruido y este ruido formó el océano y las olas del océano.

»Este ruido irá siempre pegado a las olas del mar y las olas del mar irán siempre pegadas a él, como los sellos en las tarjetas postales.

»Después tejí un largo bramante de rayos luminosos para coser los días uno a uno; los días que tienen un oriente legítimo o reconstruido, pero indiscutible.

»Después tracé la geografía de la tierra y las líneas de la mano.

»Después bebí un poco de coñac (a causa de la hidrografía).

»Después creé la boca y los labios de la boca, para aprisionar las sonrisas equívocas y los dientes de la boca para vigilar las groserías que nos vienen a la boca.

»Creé la lengua de la boca que los hombres desviaron de su rol, haciéndola aprender a hablar... a ella, ella, la bella nadadora, desviada para siempre de su rol acuático y puramente acariciador».

Mi paracaídas saltó tres mil doscientos metros.

¿Es posible que después de haber acariciado todas las bellezas, pueda ella resignarse a acariciar oídos sucios?

Mi paracaídas se enredó en una estrella apagada que seguía su órbita concienzudamente.

Y aprovechando este reposo bien ganado, comencé a llenar con profundos pensamientos las casillas de mi tablero:

«Los verdaderos poemas son incendios. La poesía se propaga por todas partes iluminando sus consumaciones con estremecimientos de placer o de agonía.

»Se debe siempre escribir en una lengua que no sea maternal.

»Los cuatro puntos cardinales, son tres: el Sur y el Norte.

»Un poema es una cosa que será.

»Un poema es una cosa que nunca es, pero que debiera ser.

»Un poema es una cosa que nunca ha sido, que nunca podrá ser.

»Huye de lo grandioso si no quieres morir aplastado por un merengue.

»Si yo no hiciera al menos una locura por año, me volvería loco».

* * *

Tomo mi paracaídas, y del borde de mi estrella límpida, me lanzo a la atmósfera.

Ruedo interminablemente sobre las rocas de los sueños.

Encuentro a la Santa Virgen sentada en una rosa, y me dice: «Mira mis manos: son transparentes como las ampollas eléctricas. ¿Ves los filamentos de donde corre la sangre de mi luz intacta?»

«Mira mi aureola. Tiene algunas saltaduras, lo que prueba mi ancianidad.

»Soy la Santa Virgen, la Virgen, la única que no lo sea a medias, y soy la capitana de las otras once mil que estaban, en verdad, demasiado restauradas.

»Hablo una lengua que llena los corazones según la ley de las nubes comunicantes.

»Digo siempre adiós, y me quedo.

»Ámame, hijo mío, pues adoro tu poesía y te enseñaré el looping.

»Tengo tanta necesidad de ternura, besa mis cabellos, los he lavado esta mañana en las nubes de Occidente y ahora quiero dormirme sobre el colchón de la neblina intermitente.

»Mis miradas son un alambre en el horizonte para el descanso de las golondrinas.

»Ámame».

Me puse de rodillas en el espacio circular y la Santa Virgen se elevó y vino a sentarse en mi paracaídas.

Me dormí y recité entonces mis más hermosos poemas.

Las llamas de mi poesía secaron los cabellos de la Virgen, que me dijo gracias y se alejó, sentada sobre su rosa blanda.

Y héme aquí solo como el pequeño huérfano de los naufragios anónimos.

Ah, qué hermoso... qué hermoso.

Veo las montañas, los ríos, las selvas, el mar, los barcos, las flores y los caracoles.

Veo la noche y el día y el eje en que se juntan.

Ah, ah, ah, soy Altazur, el gran poeta Altazur, sin caballo que coma alpiste, ni caliente su garganta con claro de luna, sino con mi pequeño paracaídas como un quitasol sobre los planetas.

De cada gota del sudor de mi frente, hice nacer astros, que os dejo la tarea de bautizar como a botellas de vino.

Lo veo todo, tengo mi cerebro forjado en lenguas de profetas.

La montaña es el suspiro de Dios, ascendiendo en termómetro hinchado hasta tocar los pies de la Virgen.

Aquél que todo lo ha visto, que conoce todos los secretos sin ser Walt Whitman, pues jamás ha tenido una barba blanca como las bellas enfermeras y los arroyos helados.

Aquél que oye durante la noche los martillos de los monederos falsos, que son solamente astrónomos activos.

Aquél que bebe el vaso caliente de la sabiduría después del diluvio obedeciendo a las palomas y que conoce la ruta de la fatiga, la estela hirviente que dejan los barcos.

Aquél que conoce los almacenes de recuerdos y de bellas estaciones olvidadas.

Él, el pastor de aeroplanos, el conductor de las noches extraviadas y de los ponientes amaestrados hacia los polos únicos.

Su queja es semejante a una red parpadeante de aerolitos sin testigos.

El día se levanta en su corazón y él baja los párpados para hacer la noche del reposo agrícola.

Lava sus manos en la mirada de Dios, y peina su cabellera como la luz y la cosecha de esas flacas espigas de la lluvia satisfecha.

Los gritos se alejan como un rebaño sobre las lomas.

El hermoso cazador frente al bebedero celeste para los pájaros sin corazón.

Sé triste tal cual las gacelas ante el infinito y los meteoros, tal cual los desiertos sin mirajes.

Hasta la llegada de una boca hinchada de besos para la vendimia del destierro.

Sé triste pues ella te espera en un rincón de este año que pasa.

Está quizá el extremo de tu canción próxima y será bella como la cascada en libertad, y rica como la línea ecuatorial.

Sé triste, más triste que la rosa, la bella jaula de nuestras miradas y de las abejas sin experiencia.

Ah, mi paracaídas, la única rosa delicada de la atmósfera.

«Venus»*

VENUS

Noche trae
~~————————~~ tu mujer de pantorrillas que son
y floreros de hortensias, jóvenes remojadas de color.
Como el asno pequeño desgraciado la novia sin
flores ni globos de pájaros.
El otoño endurece las palomas presentes. Mira
los tranvías y el atentado de cocodrilos azulados
que son periscopios en las nubes del pudor. La
niña en ascensión al ciento por ciento celeste lame
la perspectiva que debe nacer salpicada de volantines
y de los guantes agradables del otoño que se debatía
en la piel del amor.

Vicente Huidobro

Noche trae tu mujer de pantorrillas que son floreros de hortensias jóvenes remojadas de color.

Como el asno pequeño desgraciado la novia sin flores ni globos de pájaros.

El otoño endurece las palomas presentes, mira los tranvías y el atentado de cocodrilos azulados que son periscopios en las nubes del pudor. La niña en ascensión al ciento por ciento celeste lame la perspectiva que debe nacer salpicada de volantines y de los guantes agradables del otoño que se debatía en la piel del amor.

Vicente Huidobro

---

* Facsímil de un fragmento de *Altazor* (IV, 106-114) publicado originalmente en *Favorables-Paris-Poema* (octubre de 1926), revista parisina de Juan Larrea y César Vallejo. (Foto: cortesía de Juan Larrea).

«Poema»*

Vaya por los globos y los cocodrilos mojados, préstame tus ojos
de verano. Yo lamo las nubes, las nubes salpicadas amando el
otoño sigue la carreta del asno. Un periscopio en ascensión debatía el pudor bajo la perspectiva como volantín azulado por el infinito color joven regalo de pájaros (como un amor mirado de
palomas desgraciadas) como el guante importuno del atentado
que va a nacer de una mujer o de una hortensia. El florero de mirlos
que se besan era pequeño. Bravo pantorrilla de Suecia de la más
novia que se esconde en su piel de flor.

* Fragmento de *Altazor* (IV, 93-102) publicado originalmente en *Panorama* (abril de 1926), revista chilena de vanguardia. (Foto: cortesía de
la familia Huidobro).

«Fragment d'Altazor»*

A l'horitagne de la montazon
Une hironline sur sa mandodelle
Décrochée le matin de la lunaille
Approche approche à tout galop

Déjà vient vient la mandodelle
Déjà vient vient l'hirondoline
Déjà s'approche oche oche l'hironbelle
Déjà s'approche l'hironselle
Déjà s'approche l'hironfrêle
L'hirongréle
L'hironduelle
Avec les yeux ouverts l'hirongéle
Avec ses ciseaux coupant la brume l'hironaile
L'hironciel
L'hironmiel
La belle hironréele
Et la nuit rentre ses ongles comme le léopard

Elle approche l'hirontélle
Qui a un nid dans chacune de deux chaleurs
Tel que moi je l'ai dans les quatre horizons
Déjà s'approche l'hironfrêle
Et les vagues se dressent sur la pointe de leurs pieds

---

* Fragmento en francés que corresponde al Canto IV de *Altazor*. Publicado originalmente en *Transition*, París (junio de 1930).

Déjà s'approche l'hironbelle
Et la tête de la montagne sent un étourdissement
Elle vient l'hironruelle
Et le vent s'est fait parabole des sylphides en orgie
Se remplissent de notes les fils téléphoniques
Le eouchant s'endort avec la tête cachée
Et l'arbre avec le pouls enfiévré

Mais le ciel préfère le rodognol
Son enfant gâté le rorégnol
Sa fleur de joie le romignol
Sa peau de larme le rofagnol
Sa gorge de nuit le rossolgnol
Le rolagnol
Le rossignol

Et tout l'espace tiédit dans sa langue de tralali lilo
Tralilo lali
Avale les étoiles pour ta toilette
Toutes les petites et même l'étoilon
Trariri raro
Toutes les belles planètes que mûtrissent dans le planetiers
Mais je n'aehète pas d'étoiles dans la nuiterie
Ni de vagues nouvelles dans la mererie
Tra45raro riré

Colección Letras Hispánicas

DE PRÓXIMA APARICIÓN